KB196626

실패한

시간을
낭비하고
있는가?

사람,

성공 비밀을 안다

서 정 호 지음

(주)해맞이미디어

추천의 글

요즈음 신종 코로나 바이러스 감염으로 기업들의 고통은 어려움에 처하고 있다. 더욱이 오늘날 세계정세는 국가 간 기업 간의 기술 경쟁시대를 맞고 있으며, 이런 시기에 "실패한 사람, 성공 비밀을 안다" 책 제목에서 풍기듯 경쟁 사회에서 사업하다 보면, 실패한 사람도 종종 볼 수 있다고 한다.

그러나 어려움을 겪고 인내하여 성공한 사람을 주변에서 많이 보았는데 이러한 사람을 지켜보면서 특이한 성공자라고 생각해 본다.

실패한 사람, 성공 비밀, 비결은 무얼까? 평상시 서정호 회장님의 어려운 과정에서 국가관 믿음의 생각이 있어 그 동안 삶의 경험을 바탕으로 메모한 부분을 책으로 낸다는 소식을 접하고 젊은이들에게 희망과 용기를 준다는 생각을 본 책을 통해 알 수 있겠다.

인간은 많은 경험과 어려움에 처해있을 때 진심어린 마음을 알 수 있고, 성공할 수 있다는 걸 잘 보인 책이다. 이 책은 실패한 사람만 보는 책이 아니고 실패하지 않은 사람 다 읽을 만한 필독서라고 본다.

(사)충효예 문화운동본부 대표총재
박 홍 엽

생각해 보자

자동차 왕 포드는 모든 경영은 봉사라고 말한다. 바로 이를 전제로 해서 사회 대중의 생활수준의 향상에 공헌하는 것이라고 정의를 내리고 있다.

이를 통해서 개인적, 실제적, 직업적 성공을 이루는 것이 우리들의 꿈이다. 이러한 꿈은 어디까지나 자기 개선(Self-improvement)으로부터 출발하여 창조적 혁신, 전문적 기능 함양, 자기 능력 개발로 이루어지는 것이다.

그러므로 오늘날 경영학이 경영관리 시대에서 경영전략 시대로 다시금 경영사상 시대로 전개되고 있는 것은 바로 여기에 있는 것이다.

모든 사람은 자기 나름대로의 성취, 즉 행복, 건강, 경제적 인생의 참된 성공을 바란다. 그런데 어떤 사람은 성공하고 어떤 사람은 실패를 한다. 똑같은 사업을 하면서 실적을 올리는 사람이 있고 그렇지 못한 사람이 있다.

도대체 그 원인은 무엇일까? 그것은 한마디로 표현해서 행동없는 의욕결핍으로 경영자의 능력개발을 하지 못한 데 있다.

미국의 심리학자 윌리암 콕스(William Cox)가 조사한 연구발표에 의하면 인류 역사상 위인이나 사업적으로 성공한 사람의 90%가 주변 여건이 뛰어나고 본래 능력이 아주 좋은 사람들이 아니었다.

모든 것이 부족했지만 엄청난 의욕과 더불어 자아 혁신을 통해서 성공한 것이다.

한 가지 예를 들면 일본 내셔널 전기의 마쓰시다 고노스께는 3대 약점을 지니고 있었다. 즉 초등학교 중퇴로 학벌이 없었고, 집이 몹시 가난하여 자전거 점포 종업원으로 생활해 경제적으로도 아주 빈약했으며, 신체적 조건은 아주 병약했다. 그러나 이러한 어려운 조건을 극복하고 세계적인 기업을 이룩한 것이다. 이러한 현실에 입각해서 굳이 독자들에게 조금이나마 도움이 되었으면 한다.

'작은 잉크 한 방울은 수만 명 아니 수백만 명이 뭔가를 생각하게 한다.'는 영국시인 바이런의 말처럼.

2020. 08. 15
저자 서 정 호

목 차

제1장

사람들은 돈을 저축하려는 노력은 해도
시간을 저축하려고 하지 않는다

제2장

당신은 남을 설득하는 재능을 닦아야 한다

제3장

성공하기 위한 가장 빠른 지름길은
바로 자신을 변화시키는 것이다

제4장

경영자의 생각

제5장

된다고 믿으면 된다 자신을 믿어라

제1장

사람들은 돈을 저축하려는 노력은 해도 시간을 저축하려고 하지 않는다

좋은 벗은 황야에서 솟아 나오는 샘물이다

G. 엘리어트

의욕이 만든 무학력 대통령

의욕이란 얼마나 놀라운 실적을 가져오는지 미국 제17대 대통령 앤드류 존슨(Andrew Jonnson)을 예로 들어 알아보겠다.

그는 철모르는 세 살 때 아버지를 잃었기 때문에 너무나 가난하여 학교 문턱조차 밟지 못했다.

최악의 환경에서 겨우 자라 13살 때 양복점 점원으로 들어가 재봉 기술을 배웠고 17살 때 독립하여 양복점을 차렸다.

18살 때 가난한 구두수선공의 딸과 결혼을 했다.

읽고 쓸 줄 모르는 이러한 무 학력자가 어떻게 대통령이 되었을 까? 그것은 바로 의욕 하나 때문이었다.

그는 문맹이었기 때문에 기초적인 교육을 그의 부인으로부터 받 았다. 이렇게 부인으로부터 배운 교육과 열성, 의욕은 대단하여 그는 그 후에 테네시 주지사가 되었으며 상원의원이 되었다. 그 뒤에 링컨이 대통령이 되었을 때 부통령이 되었고 링컨이 암살당하자 잔여 임기를 승계 받았다.

그 뒤 바로 미국 제17대 대통령으로 출마했다. 이때 반대당은 "일자 무식꾼이며 초등학교도 졸업하지 못한 주제에 또한 양복쟁이 주제에 어떻게 해서 그가 미합중국 대통령이 될 수 있단 말인가"하고 기염을 토하면서 맹공격을 퍼부었다. 그러나 그의 불타는 의욕 앞에서는 그러한 맹공격도 소용이 없었다.

그는 멋진 답변으로 응수 한다. "예수 그리스도께서도 초등학교에 다녔다는 기록을 찾아 볼 수 없을 뿐만 아니라 목수가 아니었는가"라고... 그리하여 미국 제 17대 대통령에 당선되었다.

오늘날 그의 업적을 크게 돋보이게 하는 것으로는 미국이 전 세계 부의 75%를 좌우하는데 절대적 가치를 지니고 있는 알래스카를 소련으로부터 단돈 720만 달러에 사들였다는 사실이다.

이 쓸모없는 땅이 풍부한 지하자원을 품고 있을 줄이야 누가 알았겠는가?

그의 선견지명이 우리의 머리를 숙이게 한다. 바로 일자무식한 사람이 의욕 하나 때문에 대통령까지 지냈다는 사실이 지금도 만인에 의해서 화제가 되고 있는 이유다.

시간을 낭비하고 있는가?

    시간을 낭비하고 있는가? 아니면 그 시간을 이용하여 어떤 목표나 연구에 몰두하고 있는가? 시간이야 말로 가장 부족한 자원이고 그것이 경영에서 관리되지 않는다면 다른 어떠한 것이라도 관리되지 않는다고 경영 학자인 드러커는 지적하고 있다.

    가장 길면서도 가장 짧은 것은 무엇인가? 가장 빠르면서도 가장 더딘 것은 무엇인가? 우리들은 모두 그것을 무시하고 마침내는 모두 그것을 후회한다. 그것 없이는 아무것도 되지 않는다. 그것은 미소한 것, 전부를 삼켜버리면서도 또한 위대한 것 전부를 이룩하도록 만든다.

    그것은 바로 때, 즉 시간이다.

    볼테르는 그의 저서에서 시간에 대하여 이렇게 말하였다.

'시간은 영원한 까닭에 매우 길다. 또한 시간은 분명히 하루 24시간 모든 사람에게 똑같이 주어져 있다. 행복하고 바쁜 사람에게는 빠르고 불행하고 할 일 없는 사람에게는 매우 더디고 지루하다.'

사람들은 돈을 저축하려는 노력은 해도 시간을 저축하려고 하지는 않는다. 즉 시간을 관리하지 않는다. 시계의 바늘은 누구의 사정을 보면서 가지 않고, 사정없이 움직이고 있으므로 우리 인간들이 원하든 원치 않든 상관없이 매초 매분 매시간의 정해진 페이스대로 가고 있기 때문에 인간은 이 시간에 오히려 강요당하고 있는 셈이다. 시간은 우리가 마음대로 잡아놓을 수도 없고 전혀 탄력성을 부여할 수도 없는 요소를 갖고 있다.

그러므로 우리가 시간을 관리한다는 의미는 시간 자체를 관리 한다는 얘기가 아니라 시간에 관련시켜 자신을 관리 한다는 의미를 갖고 있는 것이다.

이 원리에 입각해서 생각하여 본다면 삶에서 시간을 관리하기 위하여 무엇을 해야 할 것인지는 분명하다.

즉, 삶에서 얼마만큼의 시간을 갖느냐가 아니라 현재 주어져서 갖고 있는 시간에 무엇을 하느냐 하는 문제를 해결해야 하는 것이다.

시간 속에서 이루어지는 자신과의 경쟁에는 보상이 없는 법이다. 그러나 싸우는 힘에 축복이 있기 마련이다.

삶의 하루가 지루하게 생각될 때 우리의 인생은 백배나 더 길고 보람 없는 것으로 느껴진다.

시간을 훔치지 말라

유태인 격언에 '시간을 훔치지 말라'는 것이 있다. 이 말은 유대인 상술의 에티켓에 불과하며 철두철미하게 '시간은 돈이다.'라는 생활철학에 뿌리를 박고 있다. 이들은 시간을 낭비한다는 관념을 상품을 도둑맞는 것과 똑같다고 생각하고 있다. 이러한 사고방식에 철두철미하기 때문에 이들은 금고 속에 들어있는 돈을 도둑맞는 것과 동일하게 여긴다. 상담에 있어서도 몇 월, 몇 일, 몇 시, 몇 분이란 시간약속에 철저하다. 이들은 보통 상담시간도 1분에서 5분으로 지정한다. 시간을 낭비하며 관용하는 것도 허용치 않는 습관이 있다.

상담 과정에 있어도 "무척 좋은 봄 날씨입니다. 봄이 되면 고향에는 진달래꽃이 피고... 선생님의 고향은?" 이런 식으로 나가면 상담은 이미 틀린 거나 다름없다. 이들은 인사말은 한마디로 끝내고 곧바로 상담으로 들어가는 것이 에티켓이다.

　유태인 상인들의 말에 의하면 상담이란 급행열차가 서로 엇갈리는 순간을 이용하여 만나는 것과 같다고 한다. 이들은 또한 수입금액을 분으로 나누어서 계산하는 습관을 갖고 있다.

　가령 월수입이 90만원이라면 하루에 3만원, 1시간에 1,250원, 1분에 20원80전을 번다는 얘기다. 단 1초라도 시간을 낭비하지 않는다. 만일 1시간을 헛된 일에 소비했다면 1,250원을 도둑맞은 걸로 생각한다.

　이렇게 시간을 철두철미하게 돈으로 계산하는 유태인처럼 될 수는 없을 지라도 시간을 그냥 흘려보내고 있지는 않는가 하는 것을 점검해 볼 필요가 있다.

시간과 조류는
사람을 기다리지 않는다

서양 격언에 '시간과 조류는 사람을 기다리지 않는다(Time and tide wait for no man)'는 말이 있다. 어제 흘러간 시간은 취소되어진 수표나 다름없고 아직 돌아오지 않는 내일의 시간은 약속된 어음이다. 바로 오늘의 이 시간은 24시간의 현금이다.

그러므로 첫째, 쓸모없는 시시한 일로 시간을 헛되이 흘려보내는 일을 없애고, 둘째 오래 끌 일은 뒤로 미루고 간단한 일부터 시작해, 끝맺음을 하며, 셋째 공백시간이 있어 외출할 경우라도 시간에 엄격해야 한다.

뿐만 아니라 스스로 자신에게 끊임없이 다음과 같은 것에 대하여 질문 공세를 펴고 있어야 할 것이다.

첫째, 어떻게 하면 나에게 주어진 업무에 대한 연구, 검토, 노력을 통하여 시간에 응용할 것인가?

둘째, 지금 내가 하고 있어야 할 일이 과연 무엇인가?

셋째, 당장 중지하고 개선해야 할 일은 무엇인가?

넷째, 나의 발전을 위하여 또 다른 방법을 택하지 않으면 안 될 일이 무엇인가?

다섯째, 삶에 흥미를 점점 잃고 있는 것은 아닌가?

시간은 경도에서 경도로, 이를테면 교대로 지구를 지킨다. 그리하여 새벽녘에 귀를 기울이면 어딘가 멀리에서 자명종의 벨이 울린다.

그것은 당신이 보낸 아침을 누군가 단단히 받았다는 증거이다.

생각하는 시간을 따로

생각하는 시간을 따로 떼어두세요.

그것은 힘의 원천이지요.

노는 시간을 따로 떼어두세요.

그것은 영원한 젊음의 비결이지요.

읽는 시간을 따로 떼어두세요.

그것은 지혜의 샘물이랍니다.

기도하는 시간을 따로 떼어두세요.

그것은 지상 최대의 힘이지요.

사랑하고 그리고 사랑받는 시간을 따로 떼어두세요.

그것은 신에게서 주어진 특권이지요.

친절을 베풀 시간을 따로 떼어두세요.

그것은 행복에의 길이랍니다.

웃는 시간을 따로 떼어두세요.

그것은 영혼의 음악이랍니다.

주는 시간을 따로 떼어두세요.

이기적이기에는 하루가 너무 짧지요.

일하는 시간을 따로 떼어두세요.

그것은 성공에의 발판이랍니다.

말 잘하는 사람이 돈을 번다.

제2장

당신은 남을 설득하는
재능을 닦아야 한다

자연은 거짓말을 용납하지 않는다
J. 칼라일

돈(儲)이란 무엇인가?

물질의 가치 척도요. 교환 수단이다. 그러나 이 교환 수단이 목적으로 변질되어 있어 인격을 떨어뜨리게 할 수도 있다. 교통사고로 사람이 죽으면 1구당 얼마, 범죄인은 보석금얼마, 노동자 일당 얼마, 두통약 1일분은 얼마, 이렇게 모든 것을 돈으로 생각할 수 있을 뿐만 아니라 인간가치, 시간, 인격까지 돈의 몫으로 묶을 수 있다. 여기서 배금주의 사상이 만연되고 수단이 목적으로 탈바꿈 한다. 그래서 수단이 목적으로 변해버린 이 세상에서 그지없이 더러운 것이 돈이고 보면 이것을 추구하는 인간이 얼마나 어리석은가?

성서에 "너희가 재물과 하나님을 함께 섬기지 못하리라..." 또한 논어에서 가르치기를 "군자가 어찌 배부르랴..." 허욕과 불신과 기만을 없애는 좋은 목탁 소리거늘 신의 섭리에 거역하지 않고 물질과 돈을 탐냄이 없이 산다는 것 얼마나 숭고하랴...! 그러나 아이러니컬하게 도 돈을 벌어야만 한다.

그 많은 인간들을 웃기고 울리면서 돌고 돌아온 화폐는 닳아지고 떨어지고 못쓸 정도면 지름 5㎜ 정도의 구멍을 수십개 내어 한국은 행에서 사형선고를 내린다. 이렇게 사형선고 당하는 금액은 한 해에 약 5억원 정도라 하니 매우 큰 돈이다. 이러한 돈을 우리가 이 세상 을 살려면 악착같이 벌어 들어야만 된다는 사실이 엄연한 현실이고 보면 돈에 대한 성인군자 같은 소리는 현대를 사는 기업인 귀에 들어 올 리 만무하다.

돈벌 저(儲)

'말 한마디에 천 냥 빚을 갚는다.'는 우리나라 속담은 말을 잘하면 돈을 벌 수 있다는 얘기로 해석할 수 있겠다.

'당신은 남을 설득하는 재능을 닦아야 한다. 그것은 권위, 지위, 경제상의 안정이란 실질적인 보수가 되어 돌아온다.'

찰스.A.린드버그는 말을 잘해서 설득을 시켜야만 경제적 보수를 누릴 수 있다고 말하고 있다.

그러나 인간은 아침 일찍부터 저녁 늦게까지 활동을 하는데 어려움이 많고 남 보기에 편하게 보여도 사실은 고되고 피곤하기 이를 데 없는 것이다.

그러나 산다는 것이 무엇이냐?

생활을 위한 생활의 전쟁터냐? 불교에서 말하는 고해(苦海)의 바다냐? 정말 이해할 수 없는 해답 속에서 사는 것만은 사실이다. 그러나 현실적으로 표현해 본다면 산다는 것은 소(牛)가 네발로 외나무다리(-)를 건너기가 어렵고 힘든 것처럼 바로 소 우(牛) 밑에 외나무다리(-)를 붙여 놓은 것이 인생(生)이다.

저(儲)라는 한자를 보자. '돈을 번다' '돈을 벌어야 저축한다'는 뜻으로 '돈벌儲', '저축儲'자다.

이 저(儲)자를 고찰해보면 사람을 상대해서 말을 잘하는 사람이 돈을 많이 벌수 있다는 뜻이라는 것을 알게 된다. 이런 저(儲)의 실력을 함양하려면 무엇이 중요한가?

사람 말을 잘 듣는데 있다. 〈듣는다는 것〉은 〈들린다〉는 생리적 과정 이상의 것이다. 그것은 결과를 미리 보는 과정이며 생리적, 정서적, 지적입력(入力)을 통합하는 과정이다. 사람의 말을 효과적으로 듣는다는 것은 커뮤니케이션 과정에 있어서 적극적이고 능동적인 역할을 다하고 있는 것이다. 말을 효과적으로 듣는다는 것은 상대방과 상호작용을 가지면서 생각을 발전시킨다. 또 자문케 하고 답을 찾는 것이다.

이와 같이 효과적인 청취 법은 이야기하는 속도와 생각하는 속도의 시간차를 의미의 탐구에 돌린다. 또 효과적인 청취법이란 커뮤니케이션의 장면으로부터 최대의 것을 얻으려는 의미에 있어서 자기본위이다. 의미 탐구 시간차의 발견을 낭비해서는 안 되며 빨리 순간적으로 포착해야 할 것이다. 그러나 서툰 청취자는 이 시간차(의미의 탐구)를 포착, 발견하지 못하고 주의가 산만해짐과 동시에 화제로부터 이탈해 버리고 만다. 또 사람의 말을 방위적으로 듣는다는 것은 전혀 듣는 것이 못되는 것이다.

그것은 상대방이 말하려고 하고 있는 것을 마음대로 예측해두고 그것을 듣지 않으려고 결심하는 것을 말한다. 바쁘거나 또는 너무 주관적인 견해에 집착하고 있을때 방위적으로 되기 쉽다. 이런 청취법은 상대방의 저항을 일으키고 반대의사를 표명하게 만든다. 그러므로 효과적인 청취법이란 상대방이 말하고 있는 뜻을 적극적, 능동적으로 목적을 가지고 탐구하는 일이다. 그래서 효과적인 청취법은 언어 그 자체가 아니라 언어를 통해서 상대방의 진정한 뜻을 들으려고 해야 한다. 이 청취로 인한 공감성은 효과적인 커뮤니케이션에 있어서 매우 가치있는 자질이라고 볼 수 있다.

이런 공감성의 자질을 갖추고 있는 사람은 타인들보다 가능성이 크다는 것은 분명하다. 성급하게 상대방 말에 개입한다는 것은 듣는 것의 효과를 매우 감소시킨다. 이런 경우 상대방 의견을 듣지 않고 그것을 독단적으로 처리, 주장할 뿐만 아니라 서로가 듣는 것을 무시해 버리고 알맹이없이 이야기 하는 것에만 전념하기 쉽다. 바로 이 경우 교정법(矯正法)은 오직 인내력이다. 인내로 고객의 말을 효과적으로 들어야만 저(儲)의 실행이 나타나게 된다. 즉 〈듣는다〉는 것은〈뜻과 이해의 탐구〉라는 사실이다. 뜻과 이해의 탐구 없이 대화를 나눈다는 그 자체가 부실이라 본다. 그러므로 저(儲)의 뜻을 실행하려면 효과적인 청취법을 사용하고 이 가운데서 뜻과 이해의 탐구를 하여 자기 주관적 전문지식을 팔아야 한다는 사실을 잊어서는 안 되겠다.

결론적으로 저(儲)라는 것은 사람(人)을 상대해서 말(言)을 잘하는 자(者)가 돈을 번다는 의미라는 것을 기억해야겠다.

상대방에게 알리는 말의 힘은
화법 + 화술=화력이다

    분명히 장닭은 장닭인데 새벽을 알리지 못하는 장닭, 말하자면 분명히 커뮤니케이션을 통해서 자신을 알리지 못하는 화술 부족의 사람이 의외로 많음을 볼 수 있다.

    자기 지식을 상대방에게 알리는 말의 힘은 '화법+화술=화력'에서 비롯된다고 볼 수 있다. 여기서 화법은 자기 전문지식의 올바른 이론, 즉 지식을 올바르게 펼칠 수 있는 이론의 기술을 말하는 것이며, 화술은 자기 전문적인 지식을 상대방이 알기 쉽도록 말하는 기술이다.

    그것을 단계별로 나누어 보면 다음과 같다.

    1단계 : 듣는 사람으로 하여금 관심을 끌게 하는 단계라 볼 수 있다. 이때 얘기하는 사람은 듣는 사람을 처음 상면하여 본론을 매우 효과 있게 전개시키기 위한 유리한 조건을 만들어 줄 필요성이 있다. 이는 본론으로 들어가기 위한 마음의 자세를 준비하기 위한 것이므로 간단명료하게 해야 하며 너무 길게 해서는 안 된다는 사실을 잊어서는 안 된다.

2단계 : 화제를 말하는 단계로서 이것을 얘기하게 된 내용이나 내력 또는 듣는 사람의 흥미를 끌도록 소개하려는 내용을 말한다.

3단계 : 말하려고 하는 주제를 제시하면서 핵심을 드러내는 단계로 듣는 사람에게 전하고 싶은 이야기의 중요한 사상, 생각, 요점을 말하도록 한다.

4단계 : 말하고자 하는 주제 이론을 전개하는 단계로, 어떤 통계적인 또는 시각으로 설득시킬 수 있는 사진, 도안, 도표 등을 제시하여 중점적인 설득을 전개시켜 나간다.

5단계 : 결론을 집약시켜 얘기를 끝맺는 단계로 모든 얘기를 마무리지어 결론을 내려 주어야 한다.

이와 같은 구성으로 대화를 전개시키는 과정에 알기 쉬운 표현을 사용해야 한다는 것이 매우 중요하다. 애매모호한 표현은 절대 주의해야 하며 동음어 또는 속어는 피하는게 좋다. 그리고 반드시 이해력을 도모시켜주는 점이 매우 중요하다.

말하는 내용의 의미와 받아들이는 의미가 일치하도록 해야 하며, 이를 위해서 듣는 자가 자발적으로 이해하려는 노력을 하도록 대화를 이끌어가야 한다. 그 이유는 사람마다 여러 가지 사물에 대해서 자기 주관적 관념을 갖고 있기 때문이다.

또한 어떤 뚜렷한 이론적 근거나 사실 또는 도의적 이유가 있는 데도 막연하게 또는 추상적으로 형성된 관념이나 막연하게 믿어 버린 선입관념, 수직관념, 고정관념, 편견등도 갖고 있기 때문이다. 이러한 이유 때문에 처음부터 들으려 하지 않는 만성적 거부증의 사람도 많다.

이렇게 이야기하기 전에 먼저 상대편이 갖고 있는 관념을 직전관념(直前觀念)이라 부를 수 있는데 다음과 같은 경우를 말 할 수 있다.

첫째, 대화할 때 사용하는 말은 추상적인 것이므로 각자 자기가 가지고 있는 관념에 따라 해석하게 되어 상대의 의견, 즉 의도나 의사를 올바르게 받아들이지 못한다.

둘째, 사물을 보고 느끼는 관점에 대해서 자기의 입장, 자기의 위치, 자기의 이해, 자기의 척도에서 보고 받아들이려고 하는 사람의 경우도 말하는 사람의 의도나 의사를 바르게 받아들이지 않으려고 한다.

셋째 사람을 보는 눈에 따라서 즉 보는 관점에 따라서 평가를 한다. 인간은 어디까지나 감정의 동물이기 때문에 좋고 나쁨의 감정에 의해서 다른 사람을 평가하는 것이다. 이러한 이유에서 말의 내용을 이해시키는데 거부현상을 가질 수 있다.

말하려고 하는 사실에 대해서 내용에 대해서, 사람에 대해서 먼저 굳어진 나쁜 이미지를 갖기 때문에 이렇다 할 좋은 결과를 진행시킬 수 없다. 이와같이 직전 관념으로 굳어져있다면 대화할 때 강력한 저항력을 받아 대화하기가 매우 힘들게 된다. 그러나 에고주의적 입장에서 이러한 점을 극복하여 그가 충고하는 것을 깨닫고 실행하도록 해야 한다.

위트 있는 대화

위트(Wit)란 기지, 재치, 변통성, 융통성, 아주 임기응변적인 기술, 지혜, 지력, 이해 등의 뜻을 가진 것이라고 사전에 쓰여져 있다.

'미소와 위트는 만국의 패스포트'란 말이 있듯이 어려운 환경과 처지에서 직면하는 모든 문제를 해결할 수 있도록 하는 기술적인 언어의 표현과 함께 행동이 깃들어 있음을 의미한다.

보통 받아들이는 위트라는 말은 익살, 재치, 기지로 웃음을 자아내게 한는 것을 말하고 있다. 마치 기계가 윤활유 부족으로 삐걱삐걱 소리를 내면서 잘 돌아가지 않는 상태에 있을 때 윤활유를 넣으면 잘 돌아가게 되는 것처럼 위트는 바로 그러한 것이라 볼 수 있다.

위트가 있는 다음과 같은 몇 가지 이야기를 예로 들어보겠다.

어떤 고등학교에서 담임선생이 새로 편입한 학생을 소개하려고 했다. 그러나 학생들은 소란스럽게 떠들고 있었기 때문에 담임선생은 말을 꺼낼 수가 없었다. 이때 다음과 같은 말을 하였다.

"여러분 조용히 하십시오. 지금 새로 들어온 편입생은 독특하게도 왼팔이 하나밖에 없는 학생입니다."

그러자 이때 학생들은 쥐죽은듯이 조용히 하면서 선생님께서 무슨 말을 할까 하고 귀를 기울이고 있었다.

이때 담임선생은 말을 이었다.

"그리고 역시 오른팔도 하나밖에 없는 학생입니다."

그러자 학생들은 모두 폭소를 터뜨리고 말았다.

위트있고 유머러스한 대화

프랑스의 어느 일간지 가십란에 다음과 같은 기사가 실린 적이
있다.

반대파 국회의원을 골탕먹이려고 마음먹은 어떤 의원이 있었다.
마침 그가 프랑스에서는 제일 천안 집안 출신이고 프랑스에서는 천
시 당할 만큼 직업의 인기가 없는 수의사 출신임을 알고 많은 사람들
앞에서 공격을 퍼부었다.

"당신은 이전에 수의사였다는데 그것이 사실입니까?"

과거에 우리나라에서 백정을 제일 무시하고 천시했던 것처럼 여러
사람 앞에서 이렇게 공격을 가하자 망신을 주려는 쪽의 목청은 컸고
많은 사람들은 마음이 움칠했다. 그러나 공격을 당하던 수의사 출신
국회의원은 기분이 나쁘거나 당황하거나 위축된 기색도 없이 가슴

을 당당히 펴고 쾌활하고 장중한 목소리로 떳떳하게 대답했다.

"사실입니다. 그리고 지금도 수의사 노릇을 하고 있습니다. 당신도 어딘가 아프신데가 있으면 저를 찾아오십시오"

이 도전적이고 위트 있는 대답에 오히려 공격하던 국회의원은 할 말을 잃어버리고 멍하니 있다가 물러서고 말았다는 것이다.

세상을 살아가는데 있어서도 이러한 감각이 꼭 필요하다고 생각된다.

위트 있고 유머러스한 대화는 모든 인간관계를 부드럽게 할 뿐만 아니라 상대방을 끌어 들이는 매력도 있다.

그러나 억지로 만든 위트나 유머는 오해의 소지를 부를 수 있으므로 주의를 해야 하며 어디까지나 자연스럽게 해야 하며 다음과 같은 조건도 갖추어져야 한다.

첫째, 애정이 진실하게 뒷받침 되어 있어야 하고 비꼬는 것이나 비하적으로 말을 해서는 안 된다.

둘째, 마음과, 시간적 여유가 있어야 한다.

셋째 진실성이 포함되어 있어야 한다. 꾸며낸 이야기일지라도 그 사람을 위한다는 마음에서 우러나서 그 상대방의 마음을 흔들어 놓아야 한다.

당신의 마음으로
상대방의 마음을 움직여라

말소리

이는 곧 그 인품을 표현한다. 말이란 매우 중요하고 그 소리야 말
로 말을 값있게, 빛나게 해준다는 사실은 매일사람들과 어울려 살아
가는 인간관계에 있어서 중요하다.

감정

이는 곧 말소리에 담겨 있기도 하고 없기도 하다.

음성은 어디까지나 기분과 감정에 관계가 있다. 사람이 기분이 좋
고 나쁜 일이 있을 때는 음성이 밝고 슬픈 일이 있을 때는 침울한 음
성이 나타나게 됨은 자연의 섭리 일지도 모른다.

그러나 음성은 자기감정의 조절에 따라 얼마든지 개선할 수 있다.

훌륭한 지식을 가지고도 음성에 문제가 있어 손해를 보는 사람들이 많음을 볼 수 있다. 거친 음성, 너무 빠르거나 느린음성, 한여름에 졸듯 단조로운 음성, 가냘픈 음성, 남자의 여성적 음성 등이 이에 해당한다.

말하는 과정에 있어서 음성의 고저는 또 그 의미를 달리한다.

상대편에게 무엇을 말하고 무엇을 표현하고 있는지 알 수 없는 작은 목소리로 입안에서만 우물우물하는 것은 자신 없는 것을 암시하며 말하는 내용에 의문을 가지게 한다.

높은 음성은 잠깐 듣기에는 맑고 똑똑하게 들리기에 호감을 줄 수도 있다. 그러나 이런 종류의 음성은 계속되는 과정에서 상대방에게 피로감을 줄 수 있다.

그런데 여기서 지적하고 싶은 것은 음성은 언어의 표현인데 이것에 서툰 사람을 관찰해보면 두 가지로 나누어 볼 수 있다.

선천적으로 음질이 나쁜 사람을 제외하고 말의 억양과 속도에 아무런 변화를 주지 않고 밋밋하게 지껄이는 타입과 음성을 높여 끝까지 말 한마디 한마디를 전부 강조하는 고기질파가 그것이다.

이런 설득력 없는 음성에 대해 오토 예스페르젠과 톰슨은 저서〈스피치의 기초적 경험〉에서 대화의 음성과 속도변화에 대한 주요 원칙을 다음과 같이 일목요연하게 정리하여 지적하고 있다.

1. 음성의 속도를 늦춰야 할 곳 : 강조하고자 하는 것, 다짐하는 것,

엄숙한 사실, 억압당한 감정, 의혹을 자아내기 쉬운 사항, 숫자, 사람, 인명, 지명 등

2. 음성의 속도를 빨리해야 할 곳 : 누구나 잘 알 수 있는 사실, 그 다지 중요하지 않은 사항, 손에 땀을 쥐게하는 대화의 클라이막 스, 억압되지 않은 감정 등

대화할 때는 어떤 사실을 고객에게 설득하는 과정에 있어서 신빙 성과 의지적 신뢰감을 형성하는데 큰 영향을 준다.

음성의 높고 낮음(강·약)은 설명하려고 하는 내용을 강조할 때 많 이 쓰이나 너무 크고 높은 소리는 듣는 사람에게 불쾌감을 주며 너무 낮은 음성은 답답하게 느끼도록 한다. 이런 음성의 규칙적인 강약 작 용으로 듣는 이로 하여금 귀에 듣기 좋은 음악처럼 리드미컬한 쾌감 을 주어야 한다.

함부로 음성을 높였다 낮추었다 하는 것이 아니라 어떤 말의 마디마 디에서 곡조(리듬)처럼 높였다 낮추었다 하는 음성이 매우 중요하다.

음성은 네 가지 요소로 구성되어 있다.

첫째는 음량으로, 목소리가 크냐 작으냐를 말하는 것이다. 대화시에 풍부한 음량은 말의 절대적인 원동력이며 힘이다. 따라서 음량이 작고 약하면 목청 자체가 약한 것으로 대화시에 듣는 이로 하여금 어떤 실 망과 조롱의 말로 들리기 위우며 설득력이 약해진다. 그러므로 음량이 약한 조롱의 말로들리기 쉬우며 설득력을 기울여야 할 필요가 있다.

둘째는 음폭으로 소리가 굵으냐 가느냐를 의미하는 것이다. 굵직

한 음성은 남성의 특징이며 가는 음성은 여성의 특징이다. 음폭이 좁을수록 고객에게 주는 신뢰감이나 위엄이 서지 않는다.

그러므로 음폭이 좁은 사람일수록 파열음 즉 ㄱ, ㅋ, ㄷ, ㅌ, ㅍ의 발성연습이 필요하게 됨을 말하고 싶다.

셋째는 음질인데 이는 음성이 맑으냐 탁하냐 하는 것을 의미한다. 대부분의 남성이 탁한 반면 여성은 음성이 맑은 편이라 할 수 있다. 말의 음질이 너무 탁하거나 째지면서 내는 음성은 상대방에게 불쾌감과 어떤 권태로움 내지 싫증을 주게 된다.

이렇게 음질이 남이 듣기에 불쾌할 정도로 느껴지는 사람은 유음이 ㄹ의 발성연습이 필요하다고 느껴진다.

넷째는 음색인데 이는 다른 사람의 평균 음성보다 매우 특이하게 목소리를 내는 특질적인 음성을 소유한 사람으로 듣는 이로 하여금 좋으냐 나쁘냐를 의미하는 것을 말한다. 만일 음색이 나쁘면 사람에 따라 매우 천하게 느껴지며 또 바보스럽게 보이기도 한다. 그런가하면 허스키 같은 목소리는 그런대로 특이하게 받아들이게 된다.

음성은 무엇보다 중요하다. 아무리 선천적인 자연성일지라도 상대방으로 하여금 듣기 싫거나 불쾌감을 줄 수 있는 그런 음성은 좋지 않은 결과를 초래 할 수 있다.

이런 점에 대해 '아무리 많은 지식을 갖고 있어도 음성이 좋지 않고 발음이 부정확하면 듣는 이는 무엇을 떠벌이고 있는지 이해하기 곤란하다'고 덴마크의 세계적인 언어학자 예스페르젠은 그의 저서 〈

언어학(Language))에서 지적하고 있다.

이와 함께 고객과의 상담시 중요한 사실 몇 가지를 지적하고 싶다.

첫째, 말 한마디에 손을 여러번 흔들지 말아야 한다. 이는 경솔한 듯한 느낌을 주기 때문이다.

둘째, 발을 구르거나 흔들지 말아야 한다. 이는 침착성 결여와 신빙성 없는 이미지를 고객에게 풍겨주기 때문이다.

셋째, 부질없이 머리를 흔들지 않는다. 머리를 여러번 흔들거리면 경박스러워 보이며 자신감 없는 인상을 고객에게 줄 수 있다.

넷째, 수염이나 턱을 쓰다듬는 행위나 넥타이를 만지작거리는 행위, 또는 성냥개비를 부러뜨리는 행위 등은 절대 삼가야 한다. 이는 경솔함고 건방진 모습을 보여줌으로써 상대방의 감정은 매우 불쾌하게 되기 때문이다.

다섯째, 손으로 콧속을 후비지 말라. 품위 손상은 물론 천한 인상을 준다.

여섯째, 대화할 때 턱을 올리거나 내밀지 말아야 한다. 만일 턱을 내밀면 거만하고 오만한 사람으로 간주되기 쉽고 매우 불친절한 감을 고객에게 주기 때문이다.

일곱째, 담배를 피우지 말라. 담배를 피우면서 상담을 하는 것은 성실성의 결여를 고객에게 보여주는 것이다.

여덟째, 머리를 긁적거리거나 허리를 굽히지 말라. 이는 비굴한 자세로 저자세의 행위로 간주하기 쉽기 때문이다.

성공의 99%는
마음가짐에 달려 있다

목표를 달성하고자 하는 의욕에 가득차 있는 사람이야말로 올바른 마음가짐의 소유자이다. 이런 사람의 앞길은 어느 누구의 어떠한 힘으로도 막을 수 없다. 그러나 목표 달성 하려는 의욕이 없는 삶은 어느 누구의 협력도 얻을 수가 없다.

성공의 99%는 마음가짐에 달려 있다. 사랑, 기쁨, 낙천주의, 신념, 용기, 정열, 침착, 명랑, 상상력 그리고 지도력은 성공하는데 없어서는 안될 요소이다.

모든 사람은 자기가 하고자하는 일에 성공을 바라고 있는 것은 불문가지다. 이에 대해서 아마 이 지구상에 존재하고 있는 사람은 공동묘지에서 잠자고 있는 사람만 빼놓고는 성공이란 이 두 글자에 몸부림치고 있을 것이다.

그러나 왜? 보통 모든 사람의 대부분이 이렇게 성공에 몸부림쳐도 탈락되어 버리고 보잘 것 없는 고기덩어리로 불과하면서 사라지고 있을까? 하찮은 인간으로서 식량만 소비시키는 무의미하고 나약한 존재로서 부평초처럼 냇물에 둥둥 떠내려가면서 세월을 보내고 있는 것은 무슨 이유일까?

이러한 문제를 심각하게 생각 해 보자.

왜? 성공을 그토록 바라고 바라면서도 이루지 못하고 보잘것없는 인간으로 세월을 낭비하고 있을까?

이러한 문제점에 대해서 파울 · J · 메이어는 다음과 같이 말하고 있다.

첫째 성공을 목적지로 잘못 알고 있기 때문이다. 성공을 높은 산봉우리라고 잘못 생각하고 있기 때문이다.

둘째는 성공이 어디에 있는 것인가를 사람들이 모르고 있기 때문이다.

즉 파울 · J · 메이어가 말하는 참다운 진실한 성공은 자기 자신을 판매하는 방법을 제대로 터득한 사람들이 이룩한 것이다. 그는 계속 지적하기를 이는 어디까지나 유행과도 같은 것이다.

이미 결정된 장소와 결정된 상태 그것이 결코 성공이 아니다.

여행은 미리 짜여진 여로에 따라 계획대로 즐겨야 하듯이 당신 자신을 위해 특별히 계획된 행동계획에 따라 전진하지 않으면 안 된다.

바로 이 계획안은 당신 자신의 인생장래목표 다시 말하면 인생의 목적이 포함되어 있어야 한다.

목적이란 방향 결정이요 방향결정 없는 행동은 또한 잊을 수 없다. 반드시 성공에는 목적이 있는 행동이 필요하기 마련이다.

목적이 있어 행동하느냐 목적 없이 행동하느냐 바로 이 기로점이 성패를 가름한다.

그래서 파울·J·마이어는 당신 자신의 행동 계획을 세우라고 강조하면서 바로 이것은 성공과 달성에서 지침 속에 들어 있어야만 한다.

그리고 곧 바로 행동 하라는 것이다. 꼭 성공이 어떠한 육체적인 건강 또는 넓은 학문인 지식 그 속에 들어 있으리라고 생각하는 것은 잘못된 사고의 판단이라는 사실로 마이어는 지적하고 있다.

즉 이 말은 건강이 매우 양호하면서 실패를 거듭하는 사람이 많으며 고등교육을 보다 많이 받은 사람도 계속 실패하는 수가 많은 것이다.

대체 왜 그럴까? 그것은 바로 성공이 있을만한 곳만 찾아다니기 때문이며 또한 실질적으로 눈앞에 보이는 것 즉 형태로 나타나 있는 시현적인 것만 애써 찾아다니기 때문에 그렇다는 사실이다.

그래서 자극연구가 파울·J·마이어는 성공은 바로 당신의 내부에 자리 잡고 있다는 사실을 말해주고 있다.

그래서 성공을 하는데 가장 중요한 사실은 자기의 마음가짐이 매우 중대한 것임을 깨달아야 한다.

자신이 계획하여 행동하고 나는 틀림없이 성공한다고 생각하면서 그리고 그 일에 대한 신념에 찬 확신을 가지고 즉 잠재의식에 명령을 내리고 성공의 몸가짐을 스스로 익히고 있으면서 반드시 성공하고 만다는 사실은 하나의 틀림없는 진리인 것이다. 바로 이러한 사실을 알고 있는 사람이라면 바로 자기가 바라던 성과의 성공을 자기 손아귀에 이미 넣은 것이나 다름없다.

그러나 이러한 사실을 망각하거나 또는 모르고 타인이 성공한 결과의 예만 쫓아다니고 또는 찾아다니기 때문에 성공을 할 수 없고 실패하는 시련만을 제공받아 이겨내지 못한 채 자기는 성공할 수 없다.

또는 자기는 모든 여건이 많지 않다. 환경이 불우하다는 등의 이유를 들어 자기 회피적인 말을 하면서 성공을 다른 사람의 것으로만 생각 한 나머지 스스로 자포자기 상황에서 헤메이고 고귀한 시간을 낭비하고 만다. 이렇게 나는 할 수 없다는 사고방식은 그대로 잠재의식에 명령 각인되어 결과는 실패라는 쓰디쓴 두 글자만 가져오게 잠재의식이 활동하여 그렇게 실패라는 작품을 만들고 만다.

그 계약 체결은 자기 자신에게 굳게 약속하는 것이다.

가령 담배는 몸에 해로우니까 그만 끊겠다 이것은 반드시 좋은 일이고 이로우니까 꼭 해 내고야 말겠다 등 꼭 그렇게 해야겠다는 강력한 의지로 약속 즉 계약체결을 해야 한다. 그러나 보통 사람들은 이러한 의지와 각오도 없이 약속을 함부로 하여 작심 3일이 되어 모두 잊어버리고 만다.

그러므로 어떠한 각오 밑에 결심을 해야 만이 성공의 대로를 갈수 있는 자격을 획득하는 것이지 타인 다른 사람이 성공이라는 것을 갖다 바치는 것은 절대로 아니며 이러한 준비 없이 타인이 갖다 바친다 하더라도 무엇을 모르고 실패하고 마는 것이다.

그러므로 경영인 당신은 자기에게 굳게 맹세하기를 무엇인가를 해야겠다는 막역한 생각에서 벗어나 지금 회사에서 경영목표를 정해서 지금 당장 실천에 옮겨서 앞으로 계속 밀고 나가야겠다는 당신 스스로의 자기 선언이 매우 필요하다.

그래서 John Homer Miller는 말한다. 당신의 삶의 방법은 환경에 좌우되지 않고 환경에 대한 태도에 따라 결정된다. 즉 여러 가지 사건보다는 그 사건을 확인하려는 태도에 의해서 결정 되는 것이나 환경이나 일이 당신의 인생을 채색할 수는 있겠지만 그 색의 선택권은 오직 당신에게 있다라고 갈파한다.

인생에 있어서의 성공과 실패는 능력보다는 마음가짐에 의해 결정된다.

만유인력의 법칙에 의해서 사과가 땅에 떨어져 생육의 법칙을 따라 싹이 튼다. 그리고 인간은 인과법칙을 따라 자기의 생각대로의 인간이 된다. 원인 없이는 무슨 일이고 일어날 수 없다.

경영인은 치밀한 계획을 세워놓지 않으면 목표달성에 실패를 가져올 뿐이다.

앞서 지적해서 말했듯이 자기 행동계획 내에 자기 목표관리는 매우 구체적이며 실질적이고 실용적인 계획을 말하는 것입니다.

바로 이것은 당신을 목표에 도달하게끔 끌어당기며 꼭해내야겠다는 당신의 의지를 갖게 하는 마음에 불을 붙여 실행에 옮기도록 한다.

그러므로 행동계획 속에 목표관리는 스스로 자기의 일로 인식되어져야 하며 바로 인식되어질 때 자기의 소신 및 능력이 발휘되어 당신을 발전의 계단으로 끌어 당겨줄 것이다.

대부분의 사람들은 자기 행동 계획 내에 목표를 가지고 있지 않는 사람이 너무 많다.

사람들이 실패하는 것은 기회부족에서 오는 것은 절대 아니다. 사실 우리 주변에 성공할 수 있는 기회는 얼마든지 널려 있다. 실제로 성공하지 못한 사람은 실패할 계획을 세웠단 말인가? 아마 자기가 실패하기 위해서 실패계획을 세우는 바보천치 같은 사람은 없을 것이다.

다만 문제는 자기 행동계획 없이 목표를 세우지 않았다는 점 단 한 가지뿐이다.

우리가 행동계획 속에 자기목표 의식을 갖고 목표를 세우지 않는 이유 중 가장 큰 이유의 하나는 혹시 목표달성을 못할까봐 미리 겁나서 먼저 갖는 공포증이라 볼 수 있다.

아무런 계획이 없으면 아무런 실패도 없을 것 같아 보이지만 이는 무능한 부평초 같은 사람에게 통하는 얘기이고 우리 주위에서 보다시피 이 세상에서 실패 없이 성공한 사람은 하나도 없다는 사실을 명심해야 한다.

인생은 산보가 아니라 자기의 목표를 향해 행진하는 것이다 라고 말한다.

이러한 목표를 세우고 산다는 것은 매우 중요한 사실로 알고 있지만 그러나 대부분의 사람들은 자기 행동계획 내에 목표가 뚜렷한 자가 아니라 자기 행동계획도 없이 목표의식이 없는 방랑자 위치에서 인생을 낭비하고 있다.

"맥스웰 말츠"는 그의 저서 '사이코사이버네틱스'에서 말하기를 사람은 작동면에서 자전거와 같아서 목표나 목적을 달성해서 전진하지 않으면 곧 넘어지게 된다고 말하고 있다.

이렇게 목표의식이 없는 사람은 키 없는 배와 같아서 전진하는 것이 아니라 다만 이 세상을 떠돌아다닐 뿐이다. 여기서 바로 떠돌아다니는 사람은 좌절과 실패만 가져오면서 인생 그 자체를 혐오하게 된다.

프랑스 유명한 곤충학자 "파브르"는 날벌래를 연구 하면서 다음과 같은 사실을 발견한바 있다.

벌레들은 우매하게도 앞서가는 날벌레들만 무조건 따라 다닌다 이렇게 따라 다니면서 빙빙 돌며 날아다니는데 7일동안 계속 밤낮으로 앞서가는 날벌레들이 돌면 같이 돌면서 그러다가 결국 기아 상태에서 질식하게 되는 것을 발견했다. 여기서 느끼는 것은 가까운 곳에 충분한 먹이가 있지만 그들은 그것을 모르고 배가 고파서 죽고 만다.

왜? 이렇게 죽을까 하고 생각해낸 것은 이들 벌레들이 방향 없이 무턱대고 행동하기 때문이라는 사실이다. 이와 마찬가지로 우리 사람들도 목표 없이 행동하는 사람은 그 주위에 원하는 재산이 풍부하게 많고 또한 눈에 보이고 있다. 그러나 행동해야할 방향, 목표, 감각, 의식이 결여되어 있고 또는 모르고 있기 때문에 많은 사람들의 군중 속에 묻혀 다니면서 패배와 좌절만 느끼고 있는 것이며 그들이 막연하게 원하는 재산이나 돈은 굴러 들어오지 않으며 목표의식이 없기 때문에 그냥 떠돌아다니는 것이다.

인생은 중요한 행진이라는 사실을 모르고 있기 때문에 목표를 향해 행진하는 것이 아니라 그냥 목적 없이 떠돌아다니면서 한탄만 하고 다니는 사람이 얼마나 이 세상에 많은가?

그러면 당신 경영에 현재 자기위치에서 행동계획이 목표의식이 뚜렷한가?

그렇지 않으면 목표의식이 없이 행동계획이 없는 것인가? 또는 약한가?를 재검토해봐야 할 것이다.

만일 당신 경영의 목표의식이 뚜렷하고 행동계획이 서있다면 그 행동은 창조의식에 적극적으로 나타날 것이다.

이 목표를 달성하기 위해서 행동계획이 적극화 될 때 자기 자신에게 목표달성을 위한 명령을 내려야 한다.

즉 자기 자신과의 대화에서 이것 즉 목표달성을 다짐하는 것이다. 이것을 심리학적 측면에서 전문용어로 자기내어라고 부르고 있다.

이 자기 내어를 반복해서 자기 자신의 마음과 대화를 하서 적극적으로 하는 것은 적극적인 자기 선언이라 부른다.(SelfAffirmation) 즉 자기 혼자 말로 자기 자신의 마음에 대화를 통해서 목표를 달성하고야 말겠다는 자기다짐이 적극적인 자기 선언이라 할 수 있다.

이러한 끊임없는 내어를 통한 자기선언을 하므로써 창조의식 즉 잠재적 의식에 깊이 관여되어 당신의 목표를 달성하는데 위대한 지성의 힘을 발휘해준다.

바로 당신이 의식에 보내는 최초의 명령은 먼저 현재 의식을 거쳐 다음에 잠재의식을 작용 시킨다.

그러므로 "포올 J 메이어는"는 다음과 같은 self affirmation을 반복하라고 권하고 있다.

즉 나는 내가 선택한 일에서 기어이 성공해 보이겠다. 왜냐하면 나에게는 매일 일할 때마다 용솟음치는 열의가 있고 일과 맞서는 자세가 있다.

그리고 나는 언제나 나 자신에게 다짐하고 있다. 나는 기어이 성공한다라고 몇 번이고 내어를 반복하라고 권하고 있다.

적극적인 Self Affirmation

앞에서 말한 자기 잠재의식에 보내는 내어는 처음에 단순한 말의 반복에 불과할 것으로 생각되기 쉬워질 것이다.

그러나 이를 계속 적극적으로 몇 번이고 반복하여 기간이 경과하는 동안에 이의 위대한 힘을 반드시 느끼게 된다.

이렇게 반복함으로써 영업부 사원으로써 세일즈 활동하는데 자기 자신도 모르게 자기 일에 대한 열의가 솟아오르고 일에 대한 능률이 오르고 있음을 알게 된다.

이러한 사실은 어디까지나 세일즈 활동을 하는데 있어서 자기의식에 들어오는 생각이 지금까지와는 달리 매우 건전한 것임을 알게 되고 자기 자신을 목적 달성에 또는 큰 성공으로 안내하는 매우 좋은 사상이라는 것을 알아야 할 것이다.

이 사상이 바로 창조의식이 잠재의식에 내렸던 생명의 반복 효과에서 우러나온 것임을 알게 될 것이다.

대부분의 사람들은 이의 반복의 효과를 모르고 또 알았더라도 반복하는 것을 게을리 하기 때문에 적극적인 self Affirmation 적극적인 자기 선언이 실현 되지 않고 결과는 자기 일에 성취 않음을 발견할 수 있다.

그러므로 이러한 점을 고찰하여 우유부단하고 게으르고 내성적인 성격을 완전히 제거 해버리고 창조 의식을 창달할 수 있는 자기 훈련을 잊어서는 안 된다.

그러므로 포올 J 메이어는 다시한번 이를 강조하면서 효과적이고 적극적인 자기 선언을 위해서는 다시금 마음속으로 나는 사람들과 교제하는 것을 좋아한다. 나는 사람들과 이야기하기를 좋아한다. 나는 사람들과 얘기를 나누는 것이 즐겁다. 이야기를 나눌 때 나는 내 생각을 자유롭게 말할 수 있으며 나는 내 생각을 재미있게 표현할 수 있다. 정말 나에게는 무슨 일이든지 할 수 있는 능력이 있다.

이상과 같은 자기선언을 할 때 좋은 결과를 가져다주는 것이다.

여기서 결과를 미리 생각한 나머지 잘 될 것인가? 안 될 것인가? 하는 걱정은 해서는 안 된다. 왜냐하면 그것은 잠재의식인 창조의식을 의심하는 결과를 가져오기 때문이다.

이러한 애매한 의심의 명령은 잘못 받아 들여서 적극적인 자기 선언을 방해하는 원인이 된다는 사실을 명심하여야 한다.

그러므로 결과라는 것은 나중에 나타나는 것으로 생각하고 결과라는 것은 미리 생각하는 것이 아니라는 사실을 다시한번 명심하고 긍정적인 명령 자기잠재의식에 깊숙이 받아 들여져 당신의 명령을 착실히 수행한다는 사실을 믿어야 한다.

자신력의 배양문제

자기의 목표를 달성하기 위해서는 절대 불가결한 것이 두 가지 있다.

하나는 자기 자신과 자기의 생각을 판매 하는 능력 또 하나는 자기의 신념의 올바른 것을 다른 사람이 믿도록 하는 능력 이 두 가지가 없으면 아무리 훌륭한 아이디어나 플랜이 있더라도 그것을 실행에 옮길 수 있는 기회는 영원히 찾아오지 않을 것이다.

Paul J. Meyer

인간은 성취와 성공을 위해서 살도록 만들어졌으며 성공을 위한 기능과 재질도 부여 되었다.

Zigziglar

"자기의 가장 절친한 친구가 되는 법" 저자 "밀드레드 뉴먼"과 "버나드버코위츠"박사는 이 저서에서 매우 의미심장한 질문을 던지고 있다.

즉 만일 우리가 우리 자신을 사랑하지 않는다면 어떻게 남을 사랑할 수 있겠는가? 당신은 당신 자신이 가지지 않는 것을 남에게 줄 수 없다.

성경의 마태복음 22장 39절에 네 이웃을 네 몸과 같이 사랑하라는 말이 있다.

자기의 이미지와 자신감은 매우 중요한 얘기다. 특히 영업부 사원으로서 세일즈활동 하는데 있어서 자신감은 그 무엇보다도 중요하며 "제임스와 종게워드박사"는 승리를 위해서 태어났다라는 그들의 공저에서 말하기를 사람은 승리하기 위해서 태어났다고 주장한다.

그러나 일생동안 많은 실패를 당하고 반드시 시험을 거쳐야 만이 된다는 사실을 지적하고 있다.

강력하지 않는 사람은 곧 실패자인 것이다. 만일 노력하다가 실패하면 그 속에서 어떠한 교훈을 얻기 때문에 앞으로는 많은 실수하지 않게 된다.

그러므로 자기 자신은 어떠한 실패를 맛보더라도 하나의 승리를 가져오기 위한 시험이라는 것을 알고 모든 일에 자신감을 가져야 한다.

다만 이 세상에서 제일 무서운 질병중의 질병은 자신감이 없는 것과 자만심이라고 말하고 있다.

과연 자신감이란 무엇을 말하는 것인가? 바로 그것은 자기 생각대로 할 수 있는 행동력을 말한다.

하나의 예를 들어 설명한다면 양쪽 마루위에 폭 10인치 판자를 놓고 그 위를 걷는 것은 매우 쉽다.

그러나 그 판자를 15층짜리 두 빌딩사이에 걸쳐두고 그 위를 걷는 것은 어렵다. 왜냐하면 마루위에 놓인 판자는 쉽다고 생각했기 때문에 매우 쉬운 것이다. 그러나 15층짜리 두 빌딩사이에 놓인 판자는 떨어져 죽을까봐 두렵기 때문에 어렵다고 생각되므로 어려운 것이다.

바로 이것이 자기가 갖는 자기의 이미지인 것이다.

바로 자기 생각을 올바로 갖고 행동력을 갖는 것이 자신감인 것이다.

종종 우리가 무슨 일을 하고 나서 그렇게 될 줄 알았다라고 말하는 것은 그 일을 하기 전에 그렇게 생각을 했기 때문에 그렇게 되는 것이다.

격언에 '입은 하나, 듣는 귀는 두개'라고 했다

커뮤니케이션 수단에는 여러 가지 방법이 있으나 우선 이야기하는 것, 쓰는 것, 그리고 듣는 것이 있다.

자신이 아는 지식의 알맹이를 상대방에게 적절히 전달하는 능력의 기본이라 할 수 있다. 이 세 가지 능력의 기본이 적절하지 못하면 커뮤니케이션이 순조롭지 못할뿐더러 결과적으로 시간낭비와 자신의 전문적 견해대로 의도되지 못하고 기능 발휘의 기회를 놓쳐버리게 된다. 전문가인 자신의 의도대로 리드하고 제압하려면 먼저 경청하는 것, 즉 주의깊게 들어야 한다.

커뮤니케이션 격언에 '입은 하나, 듣는 귀는 두 개'라고 하는 얘기도 먼저 듣는 것이 중요함을 말하여 주고 있다. 특히 전문가의 대부분은 자기가 전문가는 힘을 이용하여 말하고 싶은 말만을 청산유수처럼 해버리고 마는 경우가 있다. 어디까지나 일방적인 불신감을 일으켜 저항감을 주는 결과를 초래하고 만다.

그러나 전문가는 모름지기 자기가 얘기하고 말하고자 하는 양(量)의 두 배의 상대방 이야기를 들어주어야 한다는 사실을 잊어서는 안된다.

듣는 기술을 전문적으로 연구하는 언어 심리학자에 의하면 듣는일로 다음과 같은 세 가지 이익을 볼 수 있다고 한다.

첫째, 듣는 것에 의해서 이해가 얻어진다.

둘째, 상대방을 판단 할 수 있다

셋째, 상대방을 조종 할 수 있다. 이야기 내용을 잘 들어줌으로써 상대편의 생각을 이해할 수 있게 되어 어떻게 하면 좋을지 판단이 생기며, 이것에 의하여 마음먹은 견해대로 움직일 수 있는 방법이 떠오르게 되는 것이다.

그런데 말이란 한계를 벗어나 사소한일까지 자기 정보에 의해서 말하는 수가 흔히 있다.

즉 이야기의 핵심을 벗어난 말까지 하게 되는 것을 뜻한다. 나름대로 정보가 많은 사람일수록 필요 없는 말을 많이 하고 사람을 무시하기도 한다. 이런 경우도 인내력을 가지고 경청하는 것이 이익이 된다는 사실을 알아 두어야 할 것이다.

경우에 따라서는 사람을 통해서 배울 수도 있기 때문이다 성격상이 잔소리 많은 사람을 문전박대하여 쫓아버리는 수가 있는데 좀 인내력을 가지고 대할 필요가 있다. 듣는 것의 또 하나의 이점은 시간절약이다. 상대편의 마음속을 정확하게 훤히 이해하고 있다면 말의요점을 모아 핵심을 찌르고, 머릿속의 알맹이를 전수시켜 이용할 수있는 커뮤니케이션의 효율성을 재고시킬 수 있을 것이다.

그런데 여기서 강조하고 싶은 것은 말을 경청할 때 다음과 같은 주의사항을 언어심리학자들이 공통적으로 일러주고 있다.

첫째, 상대편의 입장에서 이해하고 상대방의 말을 들어주어야 하며, 반드시 말의 곁가지에 사로잡히지 말고 말하려고 하는 얘기의 핵심을 파악하는 일이 중요하다.

둘째, 상대방이 주장하고 있는 말을 일단은 긍정적으로 받아주면서 인정해 주고 그 후에 반드시 전문가로서 자기 견해를 주장하여 의견을 제시해 주어야 한다.

셋째, 말을 하는 언로를 막아서는 안 된다. 언로를 막는 것처럼 기분 나쁜 일이 없음으로 끝까지 들어주어야 한다.

넷째, 상대가 말을 하고 있는 도중에 주관적인 판단을 내리지 않는다. 반드시 마지막까지 듣고 난 다음 객관적으로 판단을 내려야 한다.

다섯째, 상대방이 말을 진행하고 있을 때 말 가운데 어려운 점은질문을 통해서 확인해 둔다. 상대방의 얘기 가운데 모호한 점을 그대로 흘려들으면 그 후에 동의하지 않을 수 없는 처지에 이를 수가 있기 때문이다.

여섯째, 두 귀는 물론 반드시 눈으로도 들어야한다. 상대방의 이야기를 들을 때는 상대방의 눈을 똑바로 쳐다보면서 들어주어야 한다는 것이다.

이렇게 하여 매우 관심 있게 듣는 것으로 보며, 매우 끈끈한 정을 갖게 하는 것이다.

이는 남의 이야기를 듣는 기술 중에서 상대방의 눈을 보는 것이 매우 중용한 포인트임을 말해 주고 있다.

일곱째, 상대방의 말의 속도가 느린 경우 빨리 해달라고 한다든가, 또는 말이 빨라서 잘 알아듣지 못할 경우, 좀 천천히 하여 달라고 요구할 필요가 있다.

여덟째, 필요 없는 말, 즉 핵심에서 너무 벗어난 말을 계속 길게 할 때 필요한 경우 중단시켜야 한다.

위와 같이 대화진행과정에서 필수적으로 지켜야 할 자제력 전문 능력을 발휘 할 수 있는 기회를 만들어 명실상부한 품위를 갖게 한다.

곧 커뮤니케이션 수단은 능력을 말하는 것이며 많이 듣고 간결하게 환자나 고객을 설득하는 일은 매우 중요한 일이다.

'혀 세치가 사람을 죽일 수 있고 말 한마디가 천 냥 빚을 갚는다.'는 속담은 두 귀로 말은 많이 듣되 하나인 입으로 설득력을 가지라는 얘기다.

고객의 눈빛과 몸짓으로
고객의 마음을 잡아라

커뮤니케이션에 의한 잠재능력의 개발 '죽고 사는 것은 혀의 힘이다.

이것을 사랑하는 자는 그 열매를 먹게 될 것이다.'구약성서 잠언에 있는 문장이다. 여기서 볼 수 있듯이 고객과의 커뮤니케이션은 주로 언어를 통해서 이루어지지만 그 외에 고객의 표정, 행동 등을 통해서도 고객의 의사를 알아낼 수 있다.

이렇게 고객의 몸짓으로 의사를 파악할 수 있는 것 을 소위 신체언어라고 부르는데, 이것은 인간육체의 생리적 현상의 일부이다. 의학자 하버어드. L.단 은 말에 관한 또는 말로 표현하지 않는 행동의 표현은 인간육체 내부의 세계에서 우러나오는 생명 유지의 현상이라고 말하고 있다 고객의 몸짓이나 표정, 말없는 육체 생리 현상의 커뮤니케이션의 흐름을 보통 경영자들은 의식하거나 느끼지 않음에도 불구하고 이를 의식하면서 고객으로부터 지각하여 고객의 생체 리듬을 통해서 고객과의 커뮤니케이션을 개발하면 경영자의 잠재능력은 개발 되어진다. 고객과의 면접 대화시에 상호 이해관계에서 커뮤니케이션이 성립된다. 여기서 커뮤니케이션은 고객을 위해서나 경영자자신을 위해서 성장에 도움을 주는 것이다.

그런데 고객에게 큰소리로 말하거나 빠르게 이야기 하면 상호 이해가 부족하게 되므로 커뮤니케이션은 이루어졌다고 할 수 없다. 그러나 반대로 고객이 말은 하지 않으나 깊이 이해하고 있고 긍정적인 위치에 있다면 커뮤니케이션이 이루어 졌다고 볼 수 있다.

그러므로 고객의 눈빛과 몸짓으로 고객의 마음을 알아내는 경영자의 잠재능력은 무한히 개발되어야 한다.

나는 일반 사람과 다르기를 원한다.

'나는 일반 사람과 다르기를 원한다.

무사안일을 찾기 보다는 기회를 쫓는다.

자기를 죽여 가며 남에게 예속되기는 싫다.

꿈을 가지며 그것을 실현하기 위해

실패의 위험을 겁내지 않는다.

조그마한 돈으로 꿈을 바꾸지 않는다.

안정적 인생보다도 도전을 좋아하며 김빠진 유토피아의 평온보

다는 성취를 향해 돌진하는 스릴을 택한다.

조그마한 은혜를 입는 대신 프라이드를 잃거나 개인의 자유를

버리지 않는다.

아무리 위대한 사람 앞에서도 굴복할 줄 모른다.

자신이 얻어낸 이익을 즐기고

세상을 향해 가슴을 펴고 외친다.

내가 한 업적을 보아다오. 이것이 기업가 정신이다'

이글은 미국의

중소기업용 잡지〈안트러프러너(Entrepreneur) : 기업가〉가 기

업가의 신조를 사훈적으로 제정한 것인데 이는 기업가의 특질

과 그 자질을 특성 있게 말하고 있다.

제3장

성공하기 위한
가장 빠른 지름길은
바로 자신을
변화시키는 것이다

사람의 마음은 그가 사귀는 친구를 보면 안다
J.R. 로우웰

능력과 의욕이 있어야 한다

모든 직장에서 사람을 뽑을 때도 일정한 능력을 갖춘 사람을 선발하게 된다. 여기서 능력이란 매우 교과서적인 것을 말하는 것이다.

즉 경영학, 법학, 의학 등 그 방면에서 일정한 학교 교육과 함께 지식과 기술을 갖추고 있다는 것을 뜻한다. 사실 이러한 능력은 매우 필요하며 중요하다.

오늘날 우리 자본주의 자유경쟁체제하에서 모든 기업 경영의 목표는 무엇일까? 그것은 두말할 필요도 없이 실적이다. 이 실적에 따라서 모든 기업의 흥망성쇠가 결정되어지는 것이다.

많은 회사들이 간판을 내밀고 즐비하게 널려 있더라도 경영실적이 좋은 곳이 있고 그렇지 못한 곳이 있다. 왜 그럴까? 일정한 자격 능력은 똑같은데 이렇게 차이가 나는 이유는 무엇일까?

그것은 바로 의욕에서 발생한다. 일에 대한 의욕이 있느냐 없느냐에 따라서 결정되는 것이라 볼 수 있다.

　　능력만을 가지고 이 사회에서 결과를 성취할 수 있다는 생각은 크게 잘못된 생각이다.

　　능력은 있어도 실적이 없기 때문에 회사에서 또는 직장에서 탈락하여 무능력자로 허송세월을 보내는 사람을 의외로 많이 볼 수 있다.

　　즉, 능력과 더불어 의욕이 있어야 많은 실적을 거둘 수 있는 것이다. 경영철학자들은 이것을 능력(A : Ability)+의욕(D : Desire) =실적(P : Performance)이라는 경영공식으로 나타내고 있다.

모든 행동의 결과는
자기로부터 온다

독일의 유명한 심리학자인 브르토 베트레하임은 나찌의 집단수용소에 수용된 적이 있었다. 그는 이 포로 생활에서 어떤 사람은 견디어 내는데 반해 견디지 못하는 사람은 왜 그럴까 하고 고찰해 보았다. 그리고 여기서 견디어내는 부류의 사람들의 중요한 힘이 되고 뒷받침이 되는 것은 그들의 용기가 아니라 바로 올바른 인생관이었다는 사실을 발견했다.

수용생활에 적응하면서 자기 인생관을 똑바로 세운 사람들이다. 원래 사업이란 인간관계이기 때문에 여기서 발생하는 문제는 자기 생각과 행동여하에 달려있는 것이다.

그런데 일반경영이나 사업은 남을 억지로 변화시키려고 하는 데서 실패를 많이 거듭한다고 경영학자들은 자주 말을 한다. 남을 봐주고 싶다고 생각할 때 가장 효과가 있고 그리고 가장 안전하고 좋은 방법은 자기 자신을 바꾸는 일이라는 사실을 경영학자들은 주장한다.

창세기 이후에 사라진 공룡은 환경 도전에 대해서 자기 자신을 바꿀 수 있는 적응력을 기르지 못했기 때문에 이 지구상에서 사라졌다.

마찬가지로 사회 생활인으로서의 인생관을 스스로 확립하고 거기에 자신을 변화시키는 일이 매우 중요하다. 모든 행동과 책임은 자신으로부터 나온다는 것을 명심해야 한다.

한 조사에 따르면 대체적으로 모든 사원의 80%가 잘못된 결과에 대해 자기책임이 아니라 전부 환경, 또는 타인에 의한 잘못에서 오는 것으로 생각하고 있다고 나타나 있다. 우리 삶에서도 이러한 사실을 많이 발견한다.

경쟁자가 너무 많아서 안 된다는 소극적인 생각을 갖게 된다느니 또한 일류대학을 나오지 못했기 때문에 취업이 안 된다는 등 자기 능력이 부족하다는 말은 못하고 남의 탓으로 돌리는 것이다. 이런 생각으로는 모든 경쟁에서 뒤질 뿐이다. 절대로 환경을 탓하지 말라.

'모든 행동의 결과는 자기로부터 온다'는 인생관을 확립하고 적극적인 사고와 행동으로 현재 자신의 부족한 능력을 채워나가자.

능력발휘 강자시대

젊은 시절, 창녀로부터 매독균이 옮아
뇌 매독(腦梅毒)으로 죽은 니이체는
죽을 때까지
기독교 공격자였다는 사실은
다 알고 있는 일이다.
그는 '성경을 읽을 때는 흰 장갑을 끼는 것이 좋다'고 말하면서
'오른쪽 뺨을 맞거든 왼쪽 뺨까지 내밀어라'고 한
성경의 가르침에 대해서
그의 저서 〈이 사람을 보라〉에서 단정적으로
'인간이라면 정직하게 뺨을 맞았을 때
되받아 치고 싶을 것이다.
되받아 칠 수 없는 것은 자신이 약자이기 때문이다.
그와 같은 무력함을 감추기 위해 왼쪽 뺨을 내밀라고 했을 뿐이
다.'라고 말했다.
현대는 힘과 능력의 시대다.
뺨을 맞기 전에 먼저 공격해야 한다.
적자생존 시대를 넘어서
강자생존 시대를 맞이하고 있다는 사실을 알아야 한다.
적성에 맞지 않는다고 우물거리고 앉아 있을 때가 아니다. 능력
발휘의 강자시대임을 깨달아야 한다.

기업이 모두 성공하지는 않는다

"당신은 지금 무엇 때문에 직업을 갖고 있습니까?"하고 물으면 대부분 사람들은 "생활을 위하여"라고 대답할 것이다.

직업을 자기의 천직으로 믿고 사명감을 가지고 있는 사람은 과연 몇 사람이나 될까? 먹고 산다는 것 즉 '생활을 위하여'라는 것은 부정할 수 없는 현실이다.

그러나 경영자로서 크게 성공한 사람은 그 일을 함으로써 모든 사람들에게 행복을 줄 수 있다는 불타는 사명감에 젖어 있음을 볼 수 있다. 여기서 적극적인 자세가 생긴다. 생활을 위해 마지못해 직장에서 시간을 보내고 있다면 이는 서글픈 세월이며 적극적 자세가 생겨날리 만무하다.

기업이 모두 성공하지는 않는다. 기업을 살리느냐? 죽이느냐? 하는 문제는 오직 기업을 움직이는 사람에게 달려있다. 치열한 경쟁...

격동하며 변모하는 시장의 흐름에 나는 무엇을 생각하며 탐색할 것인가? 그리고 이웃의 경쟁 속에서 어떻게 대처할 것인가?

이러한 일에 대해서 사명감과 적극성과 열의를 잃어버린 사람들에게 한탄과 경각을 불러일으키던 앨버트 허바드(Elbert Green Hubbard : 1856~1915, 美 유명한 잡지 출판업자)는 1899년 어느 날 자기 마음에 간직했던 것을 짧은 문장으로 표현하여 자기가 출판하고 있던 월간지 〈The Philitine〉에 실었다.

허바드씨가 섬광처럼 떠오른 인스피레이션 속에 잡은 이 기사는 일대 센세이션을 일으켜 미국 도처에서 이 기사의 사본을 보내달라는 주문이 산더미처럼 밀려들기 시작했다. 특히 뉴욕의 센트럴 철도회사에서는 전 종업원에게 읽히기 위해 10만부를 주문했다.

1904년부터 5년간에 걸친 러일 전쟁 때 러시아 육군은 러시아병사 전원에게 1부씩 나누어 주었으며 또한 일본군도 그렇게 했다는 것은 유명한 얘기다.

제2차 세계대전 중 미 해군사관학교에서는 생도를 위해 이 기사를 커리큘럼의 일부에 삽입했다.

오늘에 이르기까지 책이라고는 부를 수 없는 짧은 글월, 30여개 외국어로 번역되어 1억 부 이상 인쇄되는 신기록을 낸 이 한 토막의 글월은 다름 아닌 〈갈샤에의 밀서〉이다. 왜 이 글이 날이 갈수록 많은 사람들에게 공감을 불러일으키고 있는가? 이 글월이 발표된 지

100여년의 세월이 흘렀으나 더 많이 읽혀지고 산업정신교육에 많이 원용되는 이유는 무엇일까?

무수한 기억들이 엇갈리는 인생사에서 샛별처럼 영롱하게 떠오르는 쿠바사건의 한 영웅을 영원히 지워 버릴 수 없다.

스페인과 미국사이에 전쟁이 벌어졌을 때 쿠바 게릴라의 영웅 갈샤는 쿠바의 어느 산중 요새에 은신하고 있었다. 그의 요새를 아는 사람은 아무도 없었다. 우편, 교통, 통신망은 물론 그의 생사조차 아는 사람이 없었다. 그렇지만 미국으로서는 어떻게 해서든지 갈샤를 찾아 그의 지원을 받아야 할 형편에 처해 있었다. 대통령이 친히 진두지휘를 해야 할 정도로 난국에 접한 미국은 갈샤를 찾는 것은 국가적인 운명이기도 했다.

누군가가 대통령에게 진언했다. "로완 중위에게 임무를 부여 하십시오. 이 모든 위험을 감당할 유일한 인물입니다."

대통령은 곧 로완을 불러 임무를 하달했다. 로완은 갈샤에게 전하는 대통령의 밀서를 방수 봉투에 넣고 갈샤의 행방을 찾아 출발했다. 로완이 며칠을 걸려서 어떻게 토막 배를 저어 쿠바를 건너갔으며 위험한 고비를 얼마나 당했는지, 굶주리고 지친 몸을 어떻게 극복했으며 어떤 방법으로 갈샤를 찾아내어 그 밀서를 전했는지 하는 사실을 일일이 말하고 싶지 않다. 다만 맥킨리(William Mckinly : 1843~1901, 미 25대 대통령 쿠바 해방자, 1897~1901재임)대통령이 로완에게 밀서를 주어 임무를 부여 했을 때 "각하! 갈샤장군은 지금 어디에 있습니까?"라고 묻지 않았다는 사실이다.

어려운 난국과 착잡한 심정을 이해하고 온 정열을 집중하여 갈샤를 찾아냈던 것이다.

즉 '절실히 필요한 것은 솔선하여 난국을 극복하려는 굳은 정신' 이런 사람만이 그 사회의 희망을 만들어갈 수 있다.

로완 중위는 죽고 없다. 하지만 오늘날 로완의 경우 같은 용기가 필요한 곳은 수 없이 많이 있다.

기업을 성공시키기 위해서는 많은 사람의 조력이 필요하지만 이때에 인간의 약점, 즉 어떤 일에 정신을 집중하고 그것을 실행할 수 있는 능력을 갖지 못했거나 아니면 스스로 일에 달려들 의지가 없다든가 크게 실망하는 경우가 너무도 많다.

흐리멍텅한 눈동자, 태만, 무관심, 무성의...

이런 일들이 우리의 주변에 너무도 많이 깔려 있는 것이 사실이다.

이제 이글을 읽고 사무실에 앉아 있는 경영자는 부하직원에게 다음과 같은 명령으로 한번 실험을 해보라. "백과사전을 찾아 G. 웰즈의 생애에 관하여 간단히 메모를 해 오게" 그러면 부하직원은 "예"하고 바로 그 일은 시작할까? 틀림없이 그 직원은 흐린 눈으로 상사를 바라보며 다음과 같은 질문을 서너차례 할 것이다.

"그 사람은 무엇을 전공한 사람인가요?"

"백과사전은 우리 회사에 없는데요."

"무슨 백과사전에 실려있습니까?"

"무엇에 필요한가요?"

"K군에게 시키면 안 될까요?"

"급히 필요합니까?"

그 찾는 방법을 묻고 왜 필요한가를 묻고 저멀리 떨어져 있는 동료 직원에게 물어보고 다시 돌아와서 "그런 사람은 찾아낼 수가 없습니다"하고 보고할 것이다.

사각의 틀안에서 안일주의에 빠져 이따금씩 간헐적으로 제기되는 부엉이 눈이 되지 않는가? 첵크·리스트해보라 앞의 글월에서 나온 하나의 커다란 의미는 "각하" 지금 갈샤장군은 어디에 있습니까? 하고 묻지 않았다는 사실에 있다. 자신은 물론 직원들에게 핑계와 이유의 여지를 주지 말라. 경영자에게 명령할 상사는 없다. 어떤 의미에서는 고독하다. 그러나 생활의 매너리즘에 빠져있는지 스스로를 두들겨 보라 로완중위처럼 정신자세가 뚜렷한가를...

현재 강자의 위치에 있는가?
약자의 위치에 있는가?

현재 삶에서 자기 위치, 경영의 정체성을 원점에서 다시금 생각해
보라.

현재 강자의 위치에 있는가? 약자의 위치에 있는가? 그렇지 않으
면 이것도 저것도 아닌가? 모든 것을 원점에서 확인해 보는 것이다.
현재 강자의 위치에 있다면 이는 곧 약자의 위치로 전락할 단계에 놓
여 있다고 경우에 따라서는 생각할 수 있다. 또한 약자의 위치에 있
다면 강자의 위치로 전환할 수 있다고 볼 수도 있다. 모든 길은 로마
로 통했던 그 제국도 스스로 안일함에 빠져 스스로 부패해서 망했던
것이다.

'강한 자는 강하게 그리고 크게 망 한다.'는 교훈은 오늘날 많은 기업도산에서 볼 수 있다 '돈 있는 자 돈으로 망하고 칼 든 자 칼로 망한다.'는 진리는 강자의 오만함과 안일감속에 약자로 전락하게 되는 원인이 내포되어 있음을 보여준다.

강자에게는 반드시 약점이 있고 약자에게도 강자 못지않은 힘이 잠재되어 있는 법이다.

그러니까 약자는 강자의 약점이 무엇인가를 먼저 발견해야 하는 것이다. 이른바 약자의 기본전략이라고 하는 것은 강자의 약점이 되는 급소를 찾아 찌르는 것이다.

강자도 똑같은 방법으로 이겨내려고 한다면 싸움은 결국 약자의 비극으로 끝나는 것이 인생의 드라마이다.

그러므로 강자의 약점을 찾아서 차별화를 모색하지 않으면 안 된다. 차별화의 기본 원칙은 한마디로 표현해서 강자와 똑 같은 방법은 절대로 사용하지 않는 것이다. 같은 조건으로 맞서게 된다면 강자가 훨씬 유리할 뿐이다. 차별화 두 번째 기본 전략은 한 가지 집중 원칙의 고집이다.

즉, 복수의 공격 목표를 세울 경우 정신력이 산만하게 분산되기 쉬우므로 한가지로 정신력을 집중시키자는 것이다. 이를 란체스터 경영 법칙에서는 〈게릴라 경영 전략〉이라 표현하기도 한다. 강자의 약점인 급소를 맹공격하는 경영기법이라 할 수 있다.

씨름을 할 때 덩치가 크고 힘이 센 라이벌을 힘이 약하고 덩치가 작은 사람이 급소를 공격하는 방법으로 이기는 것을 많이 볼 수 있다. 즉 산탄식으로 아무렇게나 적에게 총을 쏘아대면 그 중에 몇 명은 맞겠지 하는 사고방식은 안 된다는 얘기다.

이 차별화 경영 전략에 있어서 제일 필요한 것은 정보력이다. 이 것이 없이는 맹목적이고 차별화된 전략 그 자체가 실패로 끝나는 것이다.

집중주의를 채택하려고 하면 최신 동향, 전문지식, 정보, 고객추이 성향, 고객심리, 라이벌의 모든 정보 등 철두철미한 정보력 없이는 계획화시킬 수 없다. 자기 자신을 알 수 있는 지식 제공자로서 설득 능력이 얼마만큼 존재하고 있는가 여부를 가리는 철두철미한 자기 관리의 능력에 대한 자기의 정보가 더욱 강력히 요구 되어지는 전략이 바로 차별화 전략이라 할 수 있겠다.

경영은 변화의 과정 속에
있다고 말한 바 있다

경영은 변화의 과정 속에 있다고 말한 바 있다. 그런데 이러한 변화를 회피하고 안정된 상태의 유지를 기대하며 세월을 보내고 있는 경영자가 의외로 많음을 볼 수 있다. 이러한 태도의 경영자들은 고객의 태도 변화, 경영상황변화에 대한 주도권을 포기함으로써 무능함을 노출함과 동시에 환경에 지배당하게 된다. 현대 사회에서의 경영은 새로운 변화 또는 다가오는 시장의 변화에 대하여 낡은 형태의 생각, 행동, 경영 방침을 버려야 한다.

성장과 변화는 기업으로서 한시라도 중지할 수가 없다. 고객, 경영에 관한 탐구심을 가지고 언제나 정신함양을 게을리 하지 않으면 경영은 성장되며 자기 발전의 기회에 큰 도움이 될 것이다. 이러한 문제에 정열을 가지고 변화에 도전하는 전진적 탐구심만이 무한한 발전을 거듭할 수 있는 것이다. 미국의 심리학자 로랜스. S. 큐바는 '경영자의 건강의 척도는 유연성이다.

모든 경험을 통해서 경영 내외의 환경 변화와 더불어 변화 할 수 있는 부드러움, 합리적인 고객과의 논의, 간청, 훈계, 지시, 고객 감정에의 탐구에 의해 영향을 받은 융통성, 경영에 대한 정열적인 노력의 보상과 처벌이란 자극에 대해 적절히 반응하는 의존성, 그리고 싫증이 나면 중단하는 자유성이다. 여기서 경영자 질병의 본질은 행동이 변화하는 것이 불가능하고 싫증나는 것을 모르는 태도에 고착되는 것이다'라고 말하고 있다.

인간을 찾고 있소

세포의 갱년기는 2일간, 상피 세포의 그것은 20일간이다. 뼈나 이같은 일견 안정된 구조의 것이라도 상당히 빨리 갱신된다. 많은 조직이나 기관의 세포도 같은 상황이다.

방사성 동위원소의 이용에 의한 실험에 의하면 인체의 전 단백질은 약 100일 동안에 교환되며 쥐는 약20일간에 이루어진다는 사실을 캐나다의 생물학자 루드히 폰 베를란휘 박사가 발표하였다. 인간의 세포가 변화하고 있듯이 인간이 영위하고 있는 것을 경영학자 드러커는 '단절의 시대'란 말로 간단히 표현하고 있지만 사실 오늘날의 사회 환경은 급변하고 있는 것이다. 희랍의 철학자 디오게네스가 어느 날 통 속의 집에서 나와 낮에 초롱불을 들고 거리를 두리번거렸다. 이때 사람들은 그 행동이 이상스럽고 우스워서 비웃는 투로 "선생님은 지금 무엇을 찾고 계십니까?"하고 물었다.

이 물음에 디오게네스는 등불을 이리저리 비추면서 침통한 표정과 목소리로 "인간을 찾고 있소"라고 대답했다. 이 말은 사람이면 다 사람이냐? 하는 식이며 곧 이는 경영자면 다 경영자냐? 하는 식의 참다운 재발견의 소리라고 할 수 있다. 인간 문제를 연구하는 학자에 의하면 많은 사람이 자기 자신을 알고자 하는 것보다 도리어 이것을 피하고 있다는 결론에 도달하고 있다고 말하고 있다. 물론 예외도 있으나 대개의 사람들은 자기 자신의 내부 우주를 발견하지 못하거나 주저하는 경향 속에서 자기 이해를 못하고 있어 사회생활 영위를 위한 본래의 직무수행을 실현하지 못하고 있다.

이러한 문제에 대해서 하버드 대학의 교육위원회 토론회에서 엔지니어인 윌리스. W.하만은 인간의 교육은 자신의 환경에 대한 지식, 인류의 구성원으로서의 자신에 대한 지식, 그리고 자신만의 독특한 존엄성, 본능, 감정, 노력, 목표, 기질, 조건, 잠재 가능성 등을 목표로 삼는 것이어야만 한다고 역설했다.

발상을 전환시키는
기교를 부려라

　자신의 생각을 상대방에게 인식시키는 경영기술은 나름대로 사상연마(事上鍊磨:경험을 통해 배운다), 인상연마(人上鍊磨:남을 통해 배운다), 서상연마(書上鍊磨:독서를 통해 배운다)에서 터득할 수 있다. 그리고 다음과 같은 방법으로 자신의 생각을 받아들이게 한다.

　첫째, 고객에게 강요하지 말고 달려들게 만드는 의존효과를 노리도록 한다. 고객은 자기가 믿지 않는 한 상대방의 생각을 인정하려 하지 않는다. 그렇기 때문에 자신의 생각을 고객이 받아들이게 하는 최선의 방법은 그것을 그 고객의 머리속에 슬쩍 심어놓고 스스로 생각나게 하는 것이다.

　우리가 낚시를 할 때 붕어입에 낚시바늘을 꿰 넣을 수는 없다. 그러나 유인을 해서 붕어 입 속에 낚시바늘을 넣을 수는 있다. 이와 마찬가지로 자신의 생각이 상대에게 받아들여질까 하고 두려워하거나 걱정하지 말아야 한다.

즉 발상을 전환시키는 기교를 부린다. "바로 이것입니다"라고 말하는 것보다 "저의 생각이 어떻습니까?"라고 하여 상대 스스로 자신의 생각과 계획에 따르도록 유도하라는 것이다.

둘째, 자신의 의견을 상대방이 똑똑히 알아듣도록 말한다. 사람은 어떤 생각을 강요당하면 자신의 본능적으로 체면이 손상되지 않도록 하기 위해 반대하는 위치에 선다. 그러므로 플랭클린이 '상대를 설득하려면 우선 당신의 의견을 부드럽고 정확하게 말하라'고 한 것을 인식하여 우선 스스로 반대해 보임으로써 상대방이 찬성하도록 만드는 것이 매우 중요하다.

벤자민플랭클린이 독립주의 의회에서 심한 반대를 무릅쓰고 합중국 헌법을 만들었을 때 이런 방법으로 했다. 그는 "그리고 이렇게 생각하는데 이것은 잘못 돼 있을지도 모른다고 말하라.

그러면 반드시 상대는 당신의 의견을 그대로 받아들여 당신을 설득하려 들 것이다. 그러나 절대로 잘못돼 있을 리가 없다고 하는 투로 상대방에게 무조건 대든다면 적을 만드는 결과밖엔 되지 않는다"고 말했던 것이다. 옛날 중국의 황(黃)이란 아이디어가 매우 풍부한 사람이 있었다. 어느 해인가 큰 폭우가 쏟아져 강둑이 터지고 제방이 무너져 위험한 상황에 이르렀다. 사태가 매우 심각하고 긴박해지자

왕 자신이 몸소 진두지휘하여 신하를 독려했지만 삽시간에 터진 둑을 막을 만한 흙가마가 준비돼 있지 않아 둑은 계속 유실돼가고 있었다. 폭우는 더욱 세차게 내렸고 모두 어떻게 해야 할지 갈팡질팡하게 됐다. 이때 황이 "다행히 가까운 곳에 창고가 있습니다.

그곳에 쌓인 쌀가마를 운반해서 막도록 하십시오"하고 아뢰었다 왕은 잠시 머뭇거리며 주춤했으나 쾌히 승낙하여 쌀가마로 둑을 막고 위기일발 직전에 온 마을을 무사히 구할 수 있었다. 그 후 날이 개이고 여러 날 지나자 강물도 줄어들게 됐다.

다시 황은 왕에게 아뢰었다. "전하! 이번에는 튼튼한 가마니에 흙을 가득 담아온 사람에게 쌀가마를 하나씩 준다고 명을 내리십시오" 왕은 또 승낙했다 근처에 사는 모든 백성들은 가마니에 흙을 가득 담아 너도나도 앞을 다투어 가져왔고 대신 둑을 막았던 쌀가마를 받았다. 이로 인해 어차피 고쳐야 할 둑을 단단하게 보수하였으며 막대한 노동력 절감은 물론 백성들이 스스로 움직이게 했다는 것이다.

가난 보다 중요

'내가 품은 사상은 그 모두가 돈 없음에 기인 한 듯, 가을바람이
분다.'
어느 시인은 그의 가난을 이렇게 읊조렸다.
인생에 있어서 가난에 찌들어 있는 것처럼
무서운 병은 없다.
모든 사람이 풍요로운 생활을 추구하면서도 얻지 못하는 쓰디
쓴 감정을 토로하고 있는 것이다.
그런가하면 인간 세상은 색(色)과 욕(慾)으로 가득찬 더러운 고
통의 바다라고 외치는 가운데 차라리 인간은 물욕과 돈욕에 손
발이 돋아난 괴물이라고 한마디로 쏘아 붙이는 사람도 있다. 그
렇다면 돈을 번다는 것은 더럽고 치사스러운 일이란 말인가?
상아탑속의 학자들은 돈에 대한 정의를 한마디로 더러운 것으
로 내려 버린다.
그러나 시대는 사농공상(士農工商) 시대로부터 많이 바뀌어 비
어있는 지갑보다 돈이 들어있는 지갑 쪽이 훨씬 낫다는 사실만
은 분명하다.

자기 자신에게 불을 붙여라

휘발유, 경유, 중유, 종이, 솜, 여기 다섯 종류의 연소성이 매우 강한 물질이 간격을 두고 놓여 있다. 여기에 불을 붙이려고 한다.

그런데 성냥은 꼭 한 개비 밖에 없다. 어느 물질에 제일 먼저 불을 붙여야 다섯 물질의 연소물에 모두 불을 붙일 수 있을까? 우리는 이 문제를 해결하기 위해서 다섯 가지 물질을 하나씩 차례로 떠올려 볼 것이다. 그러나 여기서 제일 먼저 불을 붙여야 할 것은 성냥개비다. 너무도 명확한 진리며 보통 쉽게 알 수 있는 일이다.

이렇게 평범하고 쉬운 진리 속에 묻혀 살면서도 이를 쉽게 깨닫지 못하는 이유는 자기 자신을 망각하고 살기 때문에 그렇지 않나 하는 생각이 든다. 성냥개비에다 먼저 불을 붙여야 한다는 평범한 진리는 무엇을 뜻하는 것일까?

그것은 자기 자신에 불을 붙여야 한다는 얘기다. 즉, 자기 자신이 가장 중요하다는 사실을 강조하고 있는 것이다. 자신의 인생 경영은 남이 해주는 것이 아니다. 어디까지나 자신이 경영하는 것이다. 성공하는 것도 실패하는 것도 모두 자신에 달려있는 것이다. 대부분의 경우 실패 했을 때 그 원인을 자신이 처한 환경에서 찾는다.

그러나 경영성취동기 연구가들은 다음과 같이 경영 실패의 원인이라고 말한다.

1. 상세하고 구체적으로 모든 상황을 분석, 판단하지 못한 것.

2. 직업적 권위에 대한 지나친 강조.

3. 자기 위치에서의 창의력 결핍.

4. 개인중심적인 이기심.

5. 철두철미한 봉사정신의 결핍.

6. 자기가 한 일에 대해서 너무나 많은 댓가를 일시적으로 받으려고 하는 점.

7. 직업적 충실성의 결핍.

8. 자기 컨트롤이 없는 방종과 함께 폭음.

이상과 같은 문제에 입각해서 생각해 볼 때 대비책은 협조, 성실성, 봉사, 신뢰성, 동정심, 정직, 고려, 예의, 인내, 우정 등 이다. 곧 이러한 사항이 비쳐지지 않을 때 앞에서 말한 8가지 경영실패 원인이 되는 것이다. 원인 없는 결과는 있을 수 없다. 영어의 〈Joy〉라는 단어를 멋있게 해석한 것이 있다. Joy, 즉 기쁨은 어디서, 어떤 때 찾아오는 것인가? 'Jesus first, others Secound, Yourself last(예수먼저, 그다음으로 다른 사람들, 마지막으로 당신)' 여기서 예수(Jesus) 빼버리면 'You first, Secound (당신먼저, 나는 나중에)'가 되며, 바로 이것의 머리글자를 뽑아 맞추면 〈Joy〉가 된다.

바로 〈Joy〉가 들어가면 〈Enjoy〉가 된다는 것이다. 즉 기쁨 속으로 들어가 기쁨을 향유하는 것이 곧 〈Enjoy〉이다. 자신보다 타인을 위해서 모두 먼저. 경주적인 경영시 〈승리〈Victory〉〉라는 제목의 허버트 카프만(Herbert Kauffman)의 시를 음미해 보자.

승리

너는
언젠가는 가장 많은 경영 실적을
올릴 것이라고 장담하던
바로 그 사람이 아닌가?
그러나
너는 단지 네가 가진 지식과 원대한 포부만을 자랑해 왔다.
한 해가 흘러갔는데
너는 무슨 변화를 가녀 왔는가?
무슨 일을 이룩해 놓았는가?
시간...
새해에...

새로운 열두 달이.

너의 명령만을 기다리는데.

너는 과거처럼 또 많은 시간을. 기회를.

헛되이 보내 버리고 말 것인가?

우리는

너의 이름을 성취자의 명단에서 찾을 수가 없었다.

왜 그럴까?

그 이유를 설명해 보라!

그 이유는.

기회가 부족한 것이 아니라

단지 행동이

부족했음을 알라!

　　최근 들어 경기 불황 등의 이유로 경제 위축을 염려하는 사람들이 더욱 늘어나고 있다.

　　그러나 이렇게 부정적인 생각에 빠져있을 것이 아니라 그것을 도전, 극복하여 새로운 발전을 가져오도록 해야 한다. 인류역사의 발전은 바로 이 도전에 의한 반응에 의해서 발전해 왔다는 사실을 주목할 필요가 있다.

　　아놀드 토인비도 '인류문화가 제일 발달된 곳은 자연의 도전이 제일 심했던 곳이다'라고 지적했던 것이다 안일한 자세로 대처한다면 발전이란 도전을 감수하는 수밖에 없으며 엄연한 대자연의 진리인

적자생존의 원칙에 입각해서 멸망을 자초할 뿐이다.

오히려 이러한 도전을 새로운 발전을 가져올 수 있는 신선한 충격으로 받아들이는 긍정적인 자세가 필요하다. 모든 일의 원인은 외부에서 올 수 있으나 이를 받아들인 결과는 자기 자신에 달려 있는 것이다.

앞에서 말했듯이 성냥개비에 불을 붙여야 하는 것처럼 적극적인 사고 와 행동을 가져야 함은 물론, 무서운 경쟁자는 불경기나 주변 환경이 아니라 자기 자신이라는 사실을 명심해야 할 것이다.

사람은 생각하는 것이 행동을 결정한다

사람은 생각하는 것이 행동을 결정한다. 이와 동시에 자신에 대한 타인의 반응도 결정된다.

성공을 위해서는 모든 사람으로부터 존경을 받는 일이 기본이라 할 수 있다. 다른 사람으로부터 존경을 받으려면 우선 자기 자신이 존경을 받을 만한 가치가 있는 사람이라는 생각을 갖어야 한다. 과연 이 우주의 중심은 어딘가? 바로 자기 자신이다. 내가 있는 곳으로부터 동서남북의 방향이 있으며 나로부터 모든 것은 출발한다. 그러므로 바로 당신 자신에게 존경의 마음을 깊게 가질수록 당신을 존경하는 사람이 많아지게 된다. 이를 위해서 자기를 분석해 볼 필요가 있다.

편견, 게으름, 열등감, 부주의, 의뢰심, 패배주의, 정신의 불안정 불성실,성급함, 무능, 자기본위, 교만함, 무관심, 유연성의 결핍 공포심, 건망증, 무정함, 직정적, 단도직입적, 무책임, 교활함, 대화의 불분명 자만심, 언어의 불순 이렇게 보통 사람들은 결점을 가지고 있다. 이러한 결점을 제거하기 위해서 우선 다음과 같은 질문을 자기 자신에게 던져보자.

- 현재까지 성공을 거두었다고 생각하는 것은 무엇인가?
- 실패했다고 생각하는 것은 무엇인가?
- 실패했다면 실패를 하지 않기 위해서 무엇을 어떻게 할 것인가?
- 현재 내가 부딪히고 있는 문제는 무엇인가?

냉철하게 생각해 보면 바로 자기 자신의 장점과 결점이 명백하게 분석되어질 것이다. 이러한 분석은 반성을 계기로 해서 일주일에 한 번 정도는 계속되어져야 한다. 그렇게 함으로써 다음과 같은 질문에 스스로 답을 내릴 수 있을 것이다.

첫째, 나의 인생에 있어서 사명은 무엇인가?

둘째, 가치 없는 일을 하고 있지는 않은가?

섯째, 나는 어떠한 가치 있는 일을 하고 있는가?

넷째, 가치 없는 일을 하고 있지는 않은가?

다섯째, 현재 나에게 숨겨져 있는 재능은 무엇인가?

여섯째, 지금 나에게 가장 적합하다고 생각하는 것은 무엇인가?

여기에 스스로 답을 내림으로써 진정한 자기 모습이 나타난다.

자기가 생각하는 바
그대로의 자신이다

　우리가 바라는 것을 얻을 수 있느냐 없느냐 하는 것은 곧 자기가 얻으려고 하느냐 하지 않느냐 하는 적극적인 사고와 마음에 달려있는 것이다.

　모든 경영의 결과는 자기 행동에 의해서 나타나며 이것은 자기사고와 마음에 의해서 이루어진 것이다. 곧 '자기가 생각하는 바 그대로의 자신이다' 자기가 뒤떨어져 있다고 생각하면 그것은 분명히 뒤떨어져 있는 것이다.

　자기가 존경받을 만한 중요한 사람이 아니라고 생각하면 분명히 보잘것없는 것이다. '과거의 생각, 행동의 모든 것이 현재의 자기이다. 따라서 장래 어떻게 되느냐하는 것은 지금부터 생각하기와 행동하기에 달려 있는 것이다.'하고 요가는 말했다.

자기 직업에 충실하지 못하면서 다른 직업을 선망의 대상으로 쳐다보지 말라. 모든 사람의 능력 차이는 없다. 다만 '할 수 있다.''할 수 없다.'는 마음가짐의 차이가 있을 뿐이다.

인간으로서 존경을 받으면서 성공할 수 있다는 마음, 이것이 곧 능력이라고 생각한다. 할 수 없다는 데서 능력은 발휘되지 않으며, 닫혀진 마음속에서는 다른 직업만이 선망의 대상으로 떠오른다. 이러한 상태에서는 현재 자기가 하고 있는 일에 대해서 긍지가 생겨날 리가 만무하다. 그러니까 남의 손에 쥐어진 떡이 더 크게 보이고 있는 것이다.

미국의 러셀 콘웰박사가 전국을 돌아다니면서 6,000회 이상 사원 능력개발 강의를 할때 주제는 〈다이아몬드의 토지〉였다. 그의 강연 내용은 옛날 인도에 살고 있었던 알리하페드라는 부유한 농부에 관한 이야기 였다. 이농부는 다이아몬드의 토지를 발견하려고 모든 재산을 팔아 정리하고 여정에 올랐으나 결국은 떠돌다 죽고 말았다.

그런데 몇 년뒤에 알리하페드가 팔았던 토지에서 세계 제일가는 다이아몬드광이 발견되었던 것이다. 러셀 콘웰 박사는 이 실화를 이용하여 인간이라는 것은 자기가 갖고 있는 바로 그것을 항상 다른 데서 찾으려는 어리석음을 범한다는 것을 지적한 것이다. 이와같이 바로 당신이 하고 있는 일 속에 다이아몬드가 들어 있다는 사실을 명심해야 할 것이다.

오늘날 이 세계에서 가장 미개발지대는 아프리카가 아니라 바로 당신 모자 밑에 있는 머릿속임을 항상 알고 있어야 할 것이다.

행동은 감정을 낳는다

예를 들면 경영슬럼프의 극복 취업 등 일의 초기에는 모든 사람이 그러하듯 열의와 창의성, 기운이 넘쳐 생동감있게 일을 한다.

그러나 반복되는 일상의 사각의 틀안에서 똑같은 일을 반복하기 때문에 권태기를 맞이하게 되며 슬럼프에 빠지게 된다. 어딘가 활기가 없고 맥이 풀려있는 듯한 모습을 볼 수 있다. 이러한 슬럼프 현상은 일의 능률을 떨어뜨리고 침체된 자기생활, 환경을 불만스럽게 느끼게 한다.

슬럼프는 한 마디로 표현해서 삶의 무서운 적이다. 이것은 진퇴유곡의 수렁창에 빠져있는 상태다. 후퇴도 발전도 없는 답보 상태의 고원(高原) 현상을 의미하는 것이다. 그 결과는 한 마디로 무승무패며 정신이 죽어있는 사람이 살아가는 것이나 다를 바 없다. 그러므로 항상 자기가 현재 슬럼프에 빠져 있는지 자기 자신을 성찰해 볼 필요가 있다.

먼저 자기 자신에게 다음과 같은 질문을 하여 슬럼프 상태에 빠져 있는지의 여부를 알아보도록 하자.

1. 어쩐지 사기가 저하되고 쇠약해져 있지 않은가.

2. 주위 사람들과 말을 하기 싫어하는가.

3. 의기소침하여 마음이 편치 않은 상태인가.

4. 모든 일에 소극적인 상태로 임하고 있는가.

5. 모든 일이 지겹게 느끼고 있는가.

6. 직장에 앉아있는 것이 지겹게 느껴지는 외출증후군이 있는가.

7. 현재 자기가 하고 있는 일의 방법이 습관화 되어 있지는 않은가.

8. 현재하는 일 이외의 일에 관심이 집중되어 있지는 않는가.

9. 나태나 게으름의 버릇이 생기고 있는 것은 아닌가.

10. 가정내의 문제가 있는가.

11. 신체적으로 불편한 곳이 있는가.

만일 이와 같은 징후가 있다면 슬럼프 상태에 빠져 있다고 볼 수 있다. 이러한 증후가 있을 때는 바로 자기 자신이 그 원인을 밝혀냄으로써 슬럼프라는 병이며 적을 극복하여야 한다. 그러나 이 슬럼프를 발견하고도 나는 어쩔 수 없다는 상태에서 헤매고 있으며 과음과 흡연 등으로 몸의 컨디션과 생활의 리듬을 깨뜨려 자기 자신을 망치는 경우를 흔히 볼 수 있다.

이렇게 슬럼프 상태를 계속 유지하는 것은 자기 자신을 알지 못하여 그 원인을 발견하지 못했기 때문이다.

그래서 '너 자신을 알라', '자기 자신을 이겨라', '이 세상에서 제일 무서운 적은 자기 자신이다.'라는 성현의 말을 되새겨 봄직하다. 그러면 여기서 적극적이고 확실하게 슬럼프를 극복하는 방법을 찾아보자.

1. '행동은 감정을 낳는다'는 말을 적극적으로 실천에 옮겨보자. 이 말의 원리는 기분의 침체로 인해 낙담이나 심기가 좋지 않는 상태이면 그것을 피하기 힘든 일이라 방치해 두지 말고 행동으로 뭔가를 보여 주어야 한다는 얘기다. 기분을 지배하기 위해서 행동으로 옮겨 보는 것이다. 기운차게 행동함으로써 기분은 전환이 된다.

   맥이 풀려있을 때 가슴을 펴고 명랑하고 쾌활하게 웃으면서 말하는 것이다. 긍정적인 사고방식으로 움직여 보면 자기 자신의 잠재력은 발휘되면서 슬럼프에서 빠져 나올 수 있다.

2. 실패나 부정적인 사고는 자기 마음에서 찢어버리고 반드시 긍정적이고 적극적인 사고력으로 성공만을 생각한다. 자기는 모든 것을 할 수 있다는 자기 믿음 속에 신념을 강화시켜 나간다. 항상 자기 마음속에 불타오르는 신념을 심고 있으면 어느 사이에 자기의 잠재심리에 새겨져 성공을 초래하게 된다. 나는 틀렸어, 나는 안 된다, 이대로가 좋아 하는 식으로 부정적이고 소극

적인 사고방식을 갖게 되면 자기 잠재 심리에 그렇게 새겨져서 반드시 안 되는 방향으로 되고마는 것이다. 이는 영원히 슬럼프에서 빠져 나올 수 없는 정신적 불구자가 되고마는 것이다.

3. 일을 훨씬 잘하고 있는 동료와 비교해 봄으로써 자기 자신에게 자극을 주고, 자기의 과거, 현재를 비교해 보아 용기를 얻어낸다.

4. 새롭고 단정한 복장, 새로운 몸가짐을 가지는 것으로 슬럼프를 내쫓아 버린다.

5. 슬럼프라는 단어 자체를 잊어버린다. 언제나 행동하는 사람이 되는 것이다.

6. 환경변동 즉, 사무실 집기 등을 바꾼다거나 집안의 집기 배열을 바꿔본다.

7. 정신을 높여주는 독서를 해본다.

8. 하루에 20분 또는 30분 정도라도 조용히 명상의 시간을 가져 자기 일과 삶에 대해서 깊이 있게 성찰한다.

9. 자신에게 맞는 취미, 오락을 개발하여 이를 즐김으로써 기분전환을 시킨다.

10. 슬럼프 현상은 특히 열등의식에서 나타나는 수가 많으므로 이 열등의식을 탈피할 수 있는 자신감 또는 극복력을 길러야 한다, 이를 방치하면 영원히 열등의식 속에서 헤어나지 못하고 항상 패배자의 인생에서 머물러있기 마련이다.

11. 슬럼프를 극복하는 최대의 방법은 자기 일에 열중하는 것이다. 일에 열중하면 자기 건강에도 매우 좋다. '열심히 일하는 것이 최대의 행복이며 건강의 제일이다' 이는 뉴욕 시립병원 현관에 쓰여 있는 글이다. 이상과 같은 방법을 통해서 슬럼프에서 벗어날 수 있다. 그러나 이러한 방법으로 슬럼프를 극복할 수 없다고 생각된다면 다음에 제시하는 것을 실행하여 보자. 즉 자진해서 상담의 진행하여 이야기해 볼 것이며 크게 미소지으며 웃어 보이고 물끄러미 상대방의 눈을 보는 습관을 길러본다. 그리고 말에 힘을 주어 상대방이 움직여 오도록 한다.

의욕적인 인간의 사고는
곧 세상을 바꾼다

'스페인의 맨 끝(지금의 모로코)에서 인도의 동쪽 끝 사이에 뻗어 있는 대양은 넓지가 않다. 이 바다는 만일 바람만 좋으면 틀림없이 단 몇 일 이내로 항해할 수 있다.'

컬럼버스는 그가 가지고 다니던 〈세계의 실상〉이란 책 속에 나오는 이 글귀를 되새기면서 불타는 의욕을 길렀으며 마침내 신대륙을 발견하였다.

이와 같이 의욕적인 집념 없이는 어떠한 결과도 가져 올 수 없는 것이다. 의욕적인 집념, 바로 이것은 성공을 말하는 것이다. 그러므로 모든 삶에 있어서 의욕은 능력에 앞선다고 볼 수 있다.

'나는 이렇게 밖에' 즉, 〈자기한도(Self-limitation)〉는 의욕을 가

뒤버린 결과이다. 이러한 상태에서는 자기 능력을 발휘되지 못한다. 곧 의욕 없는 능력(실력)은 무능력과 똑같은 결과를 가져온다.

성공을 가져 올 수 있는 의욕적인 삶을 미국의 성공 동기 연구원 (SMI) 사장 메이어는 〈성공 동기〉란 말로 표현하고, 하버드 대학의 맥킨리 교수는 〈성취동기(Achievement Motivation)〉, 스톤은 〈불타는 의욕(Burning Desire)〉,노만 빈센트 필은 〈열성(Enthusiasm)〉, 쉬러는 〈적극적인 행동(Positive Mental Attitude)〉이란 말로 표현하고 있다.

삶을 의욕적으로 살 때 성공의 기회가 찾아오는 것이며 발전이 가능한 세계가 펼쳐지는 것이다.

'의욕적인 인간의 사고는 곧 세상을 바꾼다.'는 사실은 현세기에 있어서 인류 최대의 발견이라고 미국의 저명한 행동심리학자 윌리암 제임스는 말하고 있다.

수평적 사고의 패러다임

    1+1=2 라는 수학적 사고의 결과는 영원불변이며 모든 사람이 한 결같이 알 수 있는 고정관념으로 돼 있다. 말하자면 모든 사람이 보통 알 수 있는 그런 사고의 관념 또는 묵은 사고의 관념을 고정관념이라는 말로 표현하고 있다.

    콩 한 되와 조 한 되를 합한다고 가정해 보자. 이때 수학적으로 두 되이지만 실제로는 두되가 못된다.

    우리가 어떤 문제를 생각할 때 그 초점을 보통 일반사람들이 쉽게 생각할 수 있는 곳에 맞추면 해답을 찾지 못하는 경우가 많다. 가령 버스가 높은 지대의 길에서 추락 사고를 당했을 때 이 버스는 만원버스로 그 사고의 원인이 밝혀지고 부상자는 하나도 없었다고 하자. 이때 왜 부상자가 하나도 없는가 하고 물어보면 그 해답은 쉽게 나오지 않는다.

모든 사람이 쉽게 사고의 초점을 맞추는 것은 부상자이다. 그러나 달리 생각해보면 이 경우 만원 버스안의 사람들이 전부 죽었기 때문에 부상자는 없다는 답이 나오게 된다.

이런 예는 컬럼버스와 달걀의 이야기에서도 볼 수 있다.

지구가 둥글다는 사실을 발견하기 이전에 모든 사람들은 지구는 직사각형이므로 수평선 너머로 배가 갔을 경우 낭떠러지로 떨어지게 된다는 사실을 믿고 있었다.

그러나 컬럼버스만은 지구가 둥글다는 사실을 주장했다.

그는 이를 입증하기 위해 항해를 마치고 돌아왔을 때 그를 위한 피로연에 모인 사람들에게 테이블 위에 달걀을 세워 보라고 제안했다. 거기에 앉아 있던 모든 사람들은 테이블 위에 달걀을 세워보려고 노력했으나 세워 질 리가 만무했다.

그러자 그들은 "당신이 한번 세워보시오!"하고 말하며 시선을 모았다. 컬럼버스가 달걀 귀퉁이를 깨뜨리고 테이블 위에 달걀을 세워 놓았을 때 사람들은 "저렇게 쉽게 할 수 있다니."라고 놀라며 말하였다.

이런 고정관념의 사고를 깨고 다른 각도에서 생각하는 것을 데보노는 〈수평적 사고〉라는 말로 표현하고 있다.

우리가 삶에서 매우 해결하기 어렵다고 생각했던 문제에 부딪혔을 때 의외로 생각하지 못했던 것에서 해결책이 나왔던 경험을 누구나 한번쯤 겪어 봤으리라 믿는다.

우리가 문제의 해결에 있어서 논리적 고정관념과 이론의 공식에만 파묻혀 헤어나지 못하면 새로운 지식을 흡수, 융화시키지 못한다.

최근 영국의 국방성 조사에 따르면 '최근 개발된 것의 모두가 몇 년 전에 개발할 수 있었던 것이다'라고 보고하고 있다. 이것은 무엇을 의미하는 것인가? 즉 그것을 개발할 기술적 지식과 논리적 이론은 충분히 있었음에도 불구하고 그 지식들을 연결시켜 주지 못한 인간의 두뇌에 원인이 있기 때문에 새로운 것을 개발하기에 이르지 못한 것이다. 이에 따라 고정관념을 버리고 새로운 사고, 즉 〈수평적 사고〉로 문제를 해결하여 새로운 방법을 모색해야 한다.

인간들이 한결같이 느끼고 있는 의식의 고정관념 속에서 인간의 두뇌를 사용하는 유일한 방법은 의식의 세계라는 아리스토텔레스의 논리학만 믿을 것이 아니라 '과연 이런 의식의 이론과 고정관념이 새로운 사고, 즉 새로운 경영아이디어를 창출하는데 얼마만큼 도움을 주었는가를 고찰해 볼 때 전혀 도움이 되지 않는다.'는 에드워드 데보노의 이론에 귀를 기울여 볼 필요가 있다. 물론 의식적 세계에서 논리와 방법을 추구하는 것은 기성아이디어에 도움을 줄지 모르나 새로운 아이디어에는 도움을 주지 않고 오히려 의식적 고정관념으로 방해를 준다는 사실을 데보노는 강력히 주장하고 있는 것이다.

인간에 대한 연구

야누스적 경영인인 앤드루 카네기는

직원 한사람이

매일 밤 오피스에서

열심히 공부하고 있는 것을 보고 어느 날 물었다.

"벤군...

군의 열의에는 오래전부터 경의를 품고 있네.

그런데

군이 열심히 공부하고 있는 것은 무엇인가?"

청년은

"야금(冶金)에 관한 것입니다"고 대답했다.

그것을 들은 카네기는

"철공이 되려면 그것으로 좋다.

그러나

군이 사람을 지도하는 인간이 되고 싶다면

인간에 관해서

연구하도록 하라"고 권했다.

경영자여, 이렇게 하라.

제4장

경영자의 생각

위대한 업적치고 열의없이 아루어진 것은 없다
에디슨

경영자의 적성 TEST

직장인들로부터 일이 적성에 맞느니 안맞느니 하는 이야기를 가끔 듣는다. 또한 대학을 졸업하고 어렵게 입사시험을 통해 취직을 했는데 전문가라기보다는 셀러리맨에 불과하다는 생각이 든다고 말하기도 한다.

이런 생각이 들다보니 과연 이 일을 하려고 대학을 졸업했고 취직을 했는가 하는 의문이 생기고, 상사의 말에도 거부감이 느껴지며, 이것이 적성에 맞지 않는다고 생각하며 이직을 꿈꾸기도 하고 일을 계속하기도 하는 것이다.

그러나 적성을 문제시하기 전에 자기 자신을 파악해야 한다. 최근 심리학자의 연구결과에 의해 란체스터식 경영에서는 적성을 중요시하지 않는다. 왜냐하면 대학졸업자로서 필요한 자질인 자주성, 외교성, 지도성, 사교성을 갖추고 있기 때문이다. 따라서 자기 자신을 파악하는 일에 힘써야 한다. 그 방법의 하나로 심리학자 번로이터가 성격검사용으로 고안해 낸 질문사항들을 제시한다.

질문

1. 당신은 여러 가지 공상을 하는 때가 많은가?

2. 아는 사람을 만나는 것이 싫어서 다른 길로 간 일이 있는가?

3. 다른 사람이 비판한 것을 마음에 두고 있는가?

4. 자신이 비참하다고 생각할 때가 때때로 있는가?

5. 낯선 곳에 가는 것을 싫어하는가?

6. 다른 사람의 의견이 자기와 다를 때 실망하는가?

7. 곧잘 얼굴이 붉어지는 일이 있는가?

8. 자기 자신이 신경질적이라고 생각하는가?

9. 타인의 칭찬이나 비난을 마음에 꼭 담아두는가?

10. 높은 사람 앞에 나갔을 때 아무렇지도 않을 수 있는가?

11. 여러 가지 일이 머리에 떠올라 잠못이루는 일이 있는가?

12. 결심을 하는데 시간이 걸리는가?

13. 부끄럼을 몹시 타서 곤란하다고 생각하는가?

14. 당신은 때때로 기분이 나빠지는가?

15. 가게에서 산 물건을 바꾸러 가는데 여러모로 마음을 쓰는가?

16. 당신은 부끄러웠던 일을 오래두고 잊지 않고 간직하는가?

17. 당신은 자신이 주동이 되어 클럽이나 팀을 만들어 본 일이 있는가?

18. 남 앞에 나서면 상기되기 쉬운편인가?

19. 자기가 옳다고 생각해도 조소를 당하면 굴욕을 느끼는가?

20. 나쁜 소식을 들었을 때 누군가가 곁에 있어 주었으면 하고 생각하는가?

21. 당신의 일이 순조롭게 잘되어 갈 때도 남에게 보이기를 꺼리는가?

22. 고독하여 견딜 수 없다고 느껴질 때가 있는가?

23. 당신은 작은 일에도 감정이 상하기 쉬운가?

24. 대중 앞에서 얘기하는 것이 어려운가?

25. 편지를 쓸 때 몇 번씩이나 고쳐 쓰는 편인가?

26. 밤에 혼자서 지내기를 좋아하는가?

27. 사람을 잘못보고 인사했을 때 크게 당황하는가?

28. 결심이 서지 않아 실천하는데 시간이 걸리는가?

29. 당신은 기분이 좋아졌다 나빠졌다 하는 일이 잦은가?

30. 자기가 남보다 못났다고 괴로워하는가?

31. 때때로 멍청해져서 쓸데없는 일을 생각하는 때가 있는가?

32. 청중에게 얘기할 때 청중을 재미있게 하는 편이라고 생각하는가?

33. 우울할 때 누군가 기분을 풀어줄 사람을 요구하게 되는가?

34. 당신은 때때로 당신을 잊을 때가 있는가?

35. 당신은 생각이나 성격이 다른 사람과 곧 친해질 수 있는가?

36. 모임같은데 나가서 유명인과 사귀어 보겠다는 생각을 하는가?

37. 모르는 사람과 얘기를 시작하는 것이 곤란한가?

38. 무언지 모르게 슬퍼진다든가 즐거워진다든가 하는가?

39. 장래의 불안을 예상하고 걱정하는가?

40. 감정을 밖으로 나타내지 않는 편인가?

41. 무슨 일을 했을 때 이렇게 했으면 좋았다고 남에게 지적되는 것을 무척 싫어하는가?

42. 많은 사람들과 함께 있는 것을 좋아하는가?

43. 모임같은데서 자기의 의사를 털어 놓는 편인가?

44. 당신은 자기에게 엉뚱한 소문을 퍼뜨리는 사람과도 어울릴 수 있는가?

45. 다른 사람과 함께 있을때에도 때로는 고독을 느끼는가?

46. 남과 의논하기를 회피하려 하는가?

47. 물건팔이를 거절할 수 없는가?

48. 친구들과 함께 지내는 것보다 독서하기를 좋아하는가?

49. 간혹 현기증이 나는 일이 있는가?

50. 때때로 남에게 곧잘 넘어가게 되는가?

51. 자기가 이루어 놓은 결과의 여하에 불구하고 칭찬을 받는 쪽이 더 즐거운가?

52. 집회같은데 늦게 갔을 때 불안해서 자리에 앉지 않고 서있는 편

인가?

53. 자기 혼자서 결정짓기가 어려운가?

54. 주위의 사람들이 모두 비관하고 있을 때 혼자서 낙관할 수 있는가?

55. 사회적인 모임에서 곧잘 담소하는 편인가?

56. 당신은 쓰는 것보다 얘기하는 편이 자기의 뜻을 잘 표현할 수 있는가?

57. 건방진 사람이나 보스형의 사람을 피하려고 애쓰는가?

58. 새 친구를 빨리 만들 수 있는가?

59. 남에게서 물건을 빌리려 할 때 주저하는가?

60. 모임 때 웃을 수 있는 얘기를 해서 타인을 즐겁게 만드는 편인가?

61. 사회적 활동에서 표면에 나서기를 좋아하지 않는가?

62. 하찮은 일이라도 그 특징을 잡아서 재미있게 얘기하는데 능숙한가?

63. 자기가 흥미를 느끼는 목적을 위해 기부금을 모금한 일이 있는가?

64. 혼자있을때 보다도 여럿이 함께있는 편이 재미있는가?

65. 손위 사람 앞에서도 토론을 해서 자기의 주장을 굽히지 않는가?

66. 당신은 자기의 생각을 마무리 하는데 책을 읽는 것보다 남의 얘기를 듣는 편인가?

67. 남의 도움을 받지 않고 자기 혼자서 곤란한 일에 대처하는가?

68. 이제까지 그룹의 지도자가 되었던 일이 있는가?

69. 사람들이 모두 우습다고 웃어도 당신은 좀처럼 웃지 않는 편인가?

70. 외출했을 때 다른 사람이 자기를 감시하고 있는 것처럼 느껴져 곤란한가?

이상 70개 항목인데 이 하나하나를 대답하는 데 있어서 '예스' '노'로 채점한 다음,

다음과 같이 5가지로 분류하는 것이다.

첫째, 자주적인가 아니면 타인 의존적인가?

둘째, 신경질적인 성격이 있는가의 여부

셋째, 외향적인가 내향적인가의 여부

넷째, 지도적인가 타인 충족형인가의 여부

다섯째, 사교적인가 비사교적인가의 여부

이렇게 5가지로 분류하는데 여기서 'No'와 'Yes'에 따라서 (+)(-)를 하게 된다.

그래서 평균점을 뽑아 낸 다음 결과적으로 스스로 비판하고 개선해야 할 것은 다음과 같다.

첫째, 신경질적인 성격은 버려야만 마땅하다.

둘째, 철두철미하게 가져야 할 성격은 의존적이 아니라 반드시 자

주적이어야 한다는 것.

셋째, 내향적 내성적인 성격보다 사교적인 것이 유리하다는 것. 이와 같이 스스로 비판하여 그 자질을 스스로 품평해 보는 것도 큰 의의가 있으리라 생각된다.

고객심리를 연구할 필요가 있다

오늘날 모든 경영학에서는 현 시대를 자극경영시대, 〈mot iva-tivmangement〉라고 부르고 있다. 유도하여 끌어들이고 자극하여 잠재의식을 깨우치며, 스스로 능력을 유발케 하는 인간 기본적 행동에 포인트를 두고 인간 행위의 동기를 중심으로 문제를 생각해보자는 하나의 슬로건이다. 즉 고객의 인간성을 바탕으로 경제성, 성향, 그리고 성장성을 강조해야 한다는 입장을 말하는 것이다.

현대의 경영 관리자라면 경영 심리학과 인간행동과학을 중심으로 한 고객 심리학을 반드시 연구할 필요가 있다. 원래 경영(management)이란 영어의 어원을 고찰하여 보더라도 man(인간)과 age(나이, 세대)의 결합어임을 알 수 있다. 인간을 알고 이를 통해서 경영 관리목표를 달성할 수 있는 것이다.

그렇기 때문에 인간을 알고 이를 통제, 관리, 유도한다는 것은 경영면에서 대단히 중요한 사실이다. 현대 경영관리는 휴머니즘을 통해서만 비로소 많은 효과를 얻을 수 있다, 더글러스 맥스레고르의 〈X,Y이론〉이나 F.헤르츠버그 등의 〈유지자극 maintenance motivation〉이론〉 등도 바로 휴머니즘에 입각한 인간 행위에 대한 탐색에 모든 것을 할애하고 있다. 사회 심리학자인 A.H마슬로우가 분석한 인간 욕구는

첫째, 생리적인 욕구,

둘째, 안전과 안정의 욕구,

셋째, 사회적 욕구(조직에의 귀속감),

넷째, 자아의 욕구(자존심)

다섯째, 자기실현의 욕구(자기)로 나뉘어 진다. 즉 인간의 기본적 행동에 근거를 두고 고객의 행위동기를 중심으로 기획해야 한다.

고객에게 동기를 부여하는 영향력, 유인력에 필요한 지식 없이 인간을 모르고 자극을 줄 수 없는 경영은 실패하기에 꼭 알맞다.

band wagon effect라는 일반 상품 구매욕구가 있다.

유행에 휩쓸리는 심리를 말한다. 옆집에서 샀는데 나라고 안살 수 있느냐 식으로, 저 고객이 달라고 하니까 그저 집어주는 식의 경영은 어딘가 잘못되어 있는 경영방식이다. 또한 딴 곳에서 싸게 파니까 함께 경쟁적으로 싸게 팔아야겠다는 경영방식은 지양되어야 겠다. 그러나 현실은 대다수가 밴드웨건 효과와 같은 구매 동기를 따르고 있다는 사실을 상기해 볼 때 이에 대한 자기 개발이 매우 중요하다.

혀 세치가 사람을 죽일 수도 있고 살릴 수도 있다

'혀 세치가 사람을 죽일 수도 있고 살릴 수도 있다.' 또는 '말 한마디에 천 냥 빚을 갚는다.'는 우리 옛 속담이 가르치듯이 상담기술이 인터뷰 과정에서 매우 중요함은 말할 필요가 없다.

효과적인 상담이란 고객으로 하여금 자기 자신을 이해하게 하고 적극적으로 참여케 하는데 그 목적이 있다. 이 목적을 달성하기 위해 상담시 능란한 설득력을 발휘하고, 고객의 이야기를 주의 깊게 들어야한다는 것을 명심해야 한다.

여기서 〈듣는다는 것〉은 영어의 Hearing이 아니라 listening을 뜻한다. Hearing은 우리의 감각기관을 통해서 단순히 상대편의 메시지를 받아들이는 생물학적 과정의 반응이며, listening은 자신의 감각기관을 통해서 들어오는 상대편의 메시지를 적극적으로 인식하면서 정보를 처리하는 과정을 말한다. 언어학자에 의하면 listening은 세단계로 나뉘어진다. 제1단계는 감상적 수준을 말한다. 말하자면 음악감상이나 소설, 시등을 낭독할 때 감상하는 것이다. 제2단계는 차별의 수준이다. 즉 상대방의 음성과 어조의 차이를 인식하여 의미의 차이를 간파하는 것이다.

제3단계는 이해의 수준이다. 이는 상대방이 보내는 정보를 잘 처리하여 알아차리는 능력을 의미하는 것이다. 커뮤니케이션을 통해서 상담에 성공하려면 이해의 수준에 도달해야 할 것이다. 그러나 언어학자인 로버트 박사는 이해 수준 상담의 성공률이 25%에 불과하다는 연구 논문을 발표하고 있다.

그 이유는 모든 사람이 평균 20초 이상 지속하여 경청하기 어렵기 때문이라는 것이다. 또한 칼프니콜스란 언어학자의 연구 논문에 의하면 사람은 누구든지 어려운 문제나 술어, 단어는 잘 경청하지 않으려는 경향이 있다고 한다. 그리고 자신의 필요와 욕구에 따라 같은 말이라도 다르게 알아듣는 습성이 있다는 것이다. 즉, 총체적으로 하나의 옳은 관념이 요령 없는 상담으로 전달되었을 때 그 의미의 왜곡도는 약 80%가 된다는 얘기다. 이러한 점에서 공식적으로 〈화법+화술=화력〉이란 바탕 위에 상담이 진행외어야 할 것이다 여기서 화법은 논리 정연한 이론을 의미하고, 화술은 알아듣기 쉽게 표현하는 기술을 의미하며 이것으로 설득력을 발휘할 수 있는 화력이 발생한다는 것이다.

대화의 목적은 소통이다

비지시적 상담기법

원래 비전문가와의 상담에 응용되는 것으로써 민주적인 방법의 상담이다.

상담 목적에 있어서는 지시적 상담과 근본적으로 별 차이는 없으나 상대방의 욕구 목표를 누가 선정하느냐 하는 문제점이 다르다.

지시적 상담에 있어서는 고객이 달성하려는 전문적인 정보에 의해서 달성된다. 그러나 비지시적 상담에서는 고객이 알고 있는 정보, 지식목표에 따라 선정된다. 이 방법은 고객이 상담주도권을 갖고 있기 때문에 비지시적, 비강제적이며 기술이나 능력은 인정되지 않는다.

그러므로 상담자로서 그 태도에 있어서

첫째, 반드시 고객의 입장에서 인내심을 가지고 우애적으로 고객의 말에 귀를 기울여야 한다.

둘째, 전문가라는 권위의식을 지나치게 가져서는 안 된다.

셋째, 어떠한 도덕적 훈계나 토론을 전개해서는 안 된다. 또한 고객의 자존심을 상하는 발언을 해서는 안 된다.

넷째, 다음과 같은 경우에는 상담중 발언을 해야 한다.

1. 고객에게 질문 또는 발언을 시키고자 할 때

2. 고객의 걱정과 근심을 덜어주려고 할 때

3. 고객이 알고 있는 지식이 오류에 빠져 있을 때

4. 막연한 가정에 대해서 논의할 필요가 있을 경우.

이와 같이 지시적 상담의 진행은 철저히 고객의 의사를 최대한 존중해 가면서 하기 때문에 민주주의적 방법이라 할 수 있다. 그러므로 비지시적 상담의 특징은 고객이 표현한 그대로의 감정과 태도를 인정해 주며 상담주체의 내용을 용인하는 것이다.

특히 이 그룹의 고객은 가격결정에 있어서 매우 흥정적이기 때문에 전문적 권위는 존재할 수 없는 것이 그 특징이다. 따라서 영토를 빼앗긴 쓸쓸한 리어왕처럼 패권 없는 제품만을 팔아야 하는 씁쓸한 맛이 존재한다. 지시적 상담기법은 전문적 권위의식이 존재하는 가운데 상품이 권장되거나 또는 기술을 발휘할 때 이용된다. 여기서는 반드시 상담자가 문제를 결정하고 책임적인 언동을 나타낸다. 그러므로 고객의 문제를 발견하고 고객이 적극적으로 협력하도록 상담이 진행된다. 상담자는 쉽게 상담의 주도권을 쥐고 전문가로서 유감 없이 인터뷰를 한다. 따라서 앞서 지적한대로 〈주관적 고객=수가주 의=지시적상담〉이란 등식이 성립될 수 있다.

지시적 상담은 해결의 방법, 기술·지식의 선택에 의해서 교시, 또 는 지시를 결정하여 보이면 일단 고객은 이를 수용하는 것이 원칙이 다. 그러나 이와 동시에 새로운 문제에 직면했을 때 고객 스스로 해 결 할 수 있도록 해야 하며, 상담자에게 의존하도록 해야 한다. 물론 앞에서 설명한 비지시적 상담에 있어서와 마찬가지로 상담진행은 친근감을 높이고 감흥적이어야 한다. 그러나 상담 진행중 모든 감정 과 태도를 표현할 수 있는 자유가 고객에게는 없다.

그 이유는 상담자가 주는 지시한 범위내에서만 표현할 수 밖에 없 기 때문이다. 이지시적 상담 고객 그룹에서는 비지시적 상담 그룹에 서 고객자신의 통찰과 자기 이해를 증대시키는 것으로 자기 자신의 태도와 감정을 더욱 잘 인식시키는 수단을 강조했던 것에 반해 상담 자가 선택한 목표에 도달하도록 그 기술을 강조하는 특징을 가진다.

그러므로 이 지시적 상담에 있어서는 '네' 또는 '아니요'라는 응답 과 함께 능란한 화술을 기반으로 하여 설명하거나 논의 또는 문제와 해결에 관한 지식을 제공한다. 그리고 이 제공에 고객이 적극적으로 참여토록 한다. 이러한 점에서 상담자에게는 공감적 이해, 수용적 존 중 일관적 성실, 전문적기술 능력이 강력히 요구된다. 그리고 용모와 복장, 품위 등이 이 지시적 상담을 이끄는데 영향을 미친다.

마케톨로지(시장생리학)를 분석하라

어느 지역사회에 있어서 그 지역의 풍속, 관습이 마케팅에 미치는 영향을 연구, 조사하는 분과를 미국에서는 마케톨로지(Maketology)라고 부르고 있다.

이것은 최근 기업의 요청에 따라 눈부신 발전을 거듭하고 있으며 이런 분야를 모르고 시장개척을 나섰다가 큰 낭패만 당하고 돌아선 경우가 많다.

우리나라의 중동지역 건설 수출계약이 활발하게 이루어지고 있을 때 알라신만이 숭상되는 그 지역의 풍습을 파악하지 못한 모 건설 회사원이 성경을 펴들고 기도를 올리다가 망신을 당하고 계약체결도 못했다는 이야기가 있다.

또 우리나라 신발업체들이 아프리카 시장개척에 나섰을 때 K회사의 현지 출장 사원은 "이 지역 사람들은 모두 신발을 신지 않고 다니는 습관이 있으므로 시장개척이 어렵다"고 보고한 반면 J회사 사원은 "이 지역 사람들은 맨발로 다니므로 시장개척 100%달성은 무난하다"고 보고한 일이 있었다. 그 후 J회사는 그 지역에 대량으로 신발을 수출하여 큰 이익을 보았다는 것이다. 이것은 경영 마케톨로지가 얼마나 중요한가를 잘 나타내고 있다.

사실 마케톨로지가 그렇게 쉬운 것은 아니다. 그러나 쉽지 않은 만큼 보상 또한 커서, 고객의 신뢰 속에 경영상의 큰 성과를 얻을 수 있다.

베블린 효과(Veblen-Effect)

베블린 효과란 무엇인가? '에라...! 모르겠다. 무덤에까지 가져가지도 못할 돈, 차라리 사는 동안 좋은 것, 비싼 것을 사자. 싼 것은 비지떡이다'라고 생각하게 하는 심리작용을 말하는 것으로 베블렌 효과(Veblen - Effect)라는 것이 있다.

이는 경영학자 베블렌 이름을 딴 것으로 이것이 지나치면 허영심이 작동한다. 그런데 〈베블렌 효과〉야 말로 가장 노릴만한 경영 기법이라는 생각이 든다. H.G.웰즈는 누구나 잘 아는 유명한 영국의 사학자이며 문학가 이다.

그는 고향에 있는 약국에서 점원으로 일할 때 고객에게 어려운 전문용어를 일일이 알기 쉽게 설명해 주었으며, 약만 팔지 않고 꼭 주의서를 써서 첨부하는 친절을 베풀었다. 이러한 이유 때문에 '약을 사려면 웰즈가 있는 약국으로...'라는 소문이 퍼져 그 약국은 날로 번창하였다고 한다. 이것은 미래에 대한 원대한 꿈과 무엇을 생각할 줄 아는 창조적 상상력이 경영성과에 큰 영향을 미친다는 사실을 말해 주고 있다. 마케팅 전략에서는 고객의 계층을 4가지로 구분, 열거한다. 최고의층은 고소득층으로 가격은 문제시 하지 않으며 다만 서어비스를 많이 갈망한다. 그리고 고급 성향이 짙다.

두 번째는 혁신층인데 여론을 조성하며 매사에 비판적이며 항상 상류층을 바라보며 산다. 이 부류의 층을 중산층이라고도 하는데 마케팅 조사에 의하면 우리나라의 경우 전체인구의 약15%에 해당한다고 밝히고 있다. 일반적으로 이 중산층 즉, 잘잡음으로써 경영에 성공할 수 있다는 것이다.

왜냐하면 바로 밑에 층에 있는 너도 나도 층을 리드하는 비중이 크기 때문이다. 혁신층의 일거일동, 즉 움직이는 북소리에 함께 뒤따르는 층이 너도 나도 층인데 이는 전체인구의 35%를 차지하고 있다. 그러므로 혁신층만 잘 잡으면 그 지역 사회에서 고객 점유율 50%를 차지할 수 있게 된다. 이 계층은 유행에 민감하며 다른 사람이 사면 뒤따라서 바로 구입하는 특성을 가지고 있다. 마지막 최하위증인은 처음부터 가격이 무조건 싸야한다.

이들 부류는 소득수준이 매우 낮기 때문에 할인 등을 좋아하며 싼값을 원한다. 베블렌 효과를 발휘하려면 이상에서 열거한 중산층 이상을 주상대로 하여 경영 전약을 짜야할 것이다.

경영의 리더쉽

어빙. R. 위슬러와

프리이드 매사리크 같은 학자는

'경영의 리더십이란

어떤 상황속에서 커뮤니케이션의 과정을 통해

특정한 목표를 달성하기 위해 보여지는

대(對) 인간의 영향'이라고 정의를 내리고 있다.

이중 〈의도된 리더십〉과

〈효과적인 리더십〉에 대하여 알아보자.

행동과학적 측면에서 타인에게

영향을 주어

목표를 달성하려고 생각했을 경우

이를〈의도된 리더십〉이라한다.

그리고

본인의 영향력에 의해

타인 스스로 움직이도록 하는 것을

〈효과적인 리더십〉이라 한다.

고객을 사랑하는 입장에서
고객의 벗이다

　겉으로는 좋은 행동과 태도를 취하면서 마음속으로는 뻔한 속셈의 다른 계산이 들어 있다는 사람이 있다.

　이런 사람을 경영학적 측면에서 '퍼새드'(Facade)경영전략가라고 부른다. 우리가 큰 길 혹은 작은 길을 걸어다닐때 보면 큰 건물 옆이나 옛날건물 점포에 그럴듯한 치장을 해놓고 간판을 붙여 놓으면 멋있게 보인다.

　쉽게 말해서 겉보기와 알맹이가 다르다는 얘기다. 창고 같은 건물을 궁전같이 꾸며놓고 허름한 건물 점포를 멋있게 꾸며 고객에게 좋은 인상을 주는 곳도 있다. 그러나 호화스럽게 꾸며 놓은 점포 또는 건물들도 높은 고층빌딩의 스카이라운지에서 보면 지저분하기가 한

이 없다. 사람들은 이런 치장에 속아 그 점포를 찾아들어가는 수가 많을 것이다. 그러나 이런 사실들은 죄가 될 수 없는 속임수다. 왜냐하면 누구도 마음 상하게 느끼지 않기 때문이다.

그런데 우리는 겉보기와 알맹이가 사실 틀리다는 것을 발견할 수 있다. '퍼새드'가 되면 고객과 화술에서 빈틈없이 표현·언어·활동·행위 등이 '퍼새드'전략으로 짜여있기 마련이다. 고객을 속이는 것은 나쁜 의미에서가 아니라 진정한 의미에서 속임수다.

점포 앞에서 일류메이커의 제품을 지목했을때 하류메이커의 동종(同種)유사품을 팔기 위해 '퍼새드'전략을 꾸미는 것은 죄가 될 수 없는 것이다. 그러나 이런 '퍼새드'경영전략은 나름대로의 스타일에 따라 차이가 있으며 다르다. 스타일을 고찰해보면 나는 "고객을 사랑하는 입장에서 고객의 벗이다. 고객이 좋아하도록 하기 위해 고객을 이해하고 고객의 기분이나 흥미에 응하고 싶다." 소위 애고주의 인간지향(愛顧主義 人間指向)스타일이 있고 또 '나는 고객의 입장에서 고객의 모든 요구를 알고 만족할 수 있도록 상의 한다. 즉 고객의 건전한 결정을 내려 기대하는 이익이 얻어지도록 고객과 공동의 노력을 추구한다'는 소위 문제해결지향(問題解決指向)스타일이 있다. 또 '나는 고객이 사게 만드는 실증된 방법을 몸에 담고 있다.' 즉 조화된 인격과 퍼스낼리티로 고객의 구매동기를 유발시킨다는 세일즈테크닉지향(指向)스타일이 있으며 "나는 고객 앞에 내놓는다. 팔리면 팔고 안팔리면 만다"는 좋으실대로의 스타

일이 있다.

그러나 여기서 퍼새드는 속임수의 짜임이고 책략을 감추기 위해 사용하는 행동이라 볼 수 있다. 퍼새드 전략을 쓰는 이유는 본심을 알거나 거기에 부수되는 사실 그리고 문제점이 밖으로 나타나면 판매목적달성이 미미해질 판매성과를 간접적으로 만회하는 방법으로 달성시키는데 있다.

따라서 퍼새드로 책략을 꾸미는 것은 참된 의도가 밖으로 나타나지 않도록 하려고 하는 것이 사실이다. 이것은 어떤 정도를 벗어난 고객을 속임수로 주물러 버리는 접근방법이다. 다시 말해 상행위를 하기 위해 하나의 기술로 많은 사람들이 사용할 수 있는 경영전략에 틀림없는 경영기술이라 볼 수 있다.

특히 〈애고주의 인간지향(愛顧主義 人間指向)〉 스타일이나 〈세일즈테크닉 지향형〉이 이 테크닉을 좋아한다. 그러나 이런 것들은 구입결정을 시키기 위해 편리한 기술로 사용되는 것이지 배후심리에는 선의의 착한 목적이 있는 것이다. 절대로 고객을 진실한 의미에서 속임수의 페이스로 끌어 들인 것은 아니다. 이런 퍼새드의 공통된 일반적 특징은 이를 사용하는 사람이 자신의 참된 마음속에 있는 계산을 밝히지 않으려는데 있다.

얼른보기에 감추는 것이 없고 고객에게 솔직한 인상을 준다. 이러한 인상을 퍼새드를 겨냥하는 데 목적이 있는 것이다. 다만 이 퍼새드 전략이 필요한 것이냐 아니냐 하는 문제는 잠재적으로 존재할 수 있는 아킬레스건이라고 할 수 있다.

　이상의 퍼새드 전략 이론은 미국의 저명한 행동과학의 심리학자 R.R.브레이크와 S.무튼의 이론을 바탕으로 하여 쓴 것이다.

경영에 실패한 기업의 49%는
판매방법이 서툴렀기 때문이다

〈어프로치(approach)〉란 원래 말붙임, 입구, 접근 등의 의미를 갖고 있다. 그러나 근대 산업교육에 있어서는 상품에 대한 조사, 가격에 대한 심리적 조사, 그리고 모든 준비를 갖추고 고객을 상면하는, 즉 고객 인터뷰까지를 어프로치라고 한다.

여기서 어프로치는 행동과학적인 문제가 논의된다. 고객과의 인터뷰까지 모든 이전 준비가 없으면 아무리 훌륭한 제품이라 할지라도 그것을 고객에게 적절한 방법으로 판매하지 못하면 진열장에 매몰되고 마는 것이다.

오늘날 경영은 행동과학적인 능력이 개발되면 적절한 수요와 함께 충분히 신장할 수 있음에도 불구하고 경영자가 경영적인 능력의 소양이 양성되어 있지 않기 때문에 영세성을 벗어나지 못하고 있다. 이것은 경영자의 질적 수준이 기업의 번영 요소가 되고 있음을 말하는 것이다. 유력한 미국 경제전문지에 의하면 경영에 실패한 기업의 49%는 판매방법이 서툴렀기 때문에, 22%는 경쟁에 뒤졌기 때문이며 8%는 재고품이 너무 많아졌기 때문이라는 보고를 하고 있다.

여기서 재고가 많은 것도, 경쟁에 진 것도 결과적으로 판매방법이 서툴렀기 때문이라고 판단할 수 있다. 이 보고서에 알 수 있듯이 제품 판매기술은 경영상 매우 중요한 위치를 점하고 있으며 기업으로서 존립할 수 있는지의 여부를 결정하는 요인이 80%를 차지한다.

그러므로 경영에 성공하려면 효율적인 판매기술을 습득해야 하며, 이를 위해 마케팅에 대한 흐름과 여기에 접근할 수 있는 경영학, 경제학, 사회학, 법률학적 과학면에서 어프로치를 행해야 한다.

또한 시장 및 고객지향적 사항, 즉 시장 및 고객의 창조와 서비스의 개발에도 주의를 기울여야 한다. 자기개발에 도움을 주는 책을 읽고 훌륭한 인간의 말을 많이 듣는다 해도 그 효과가 경영활동에 반영이 안 되면 아무런 의의가 없다. 이제부터 단순히 업무 반복이란 상태를 벗어나 더욱 창조적인 경영활동을 할 수 있도록 자신을 개발시키는데 노력해야 한다.

경영자는 판매활동에 둘러싸여 있는 그 환경과 주의를 게을리해서는 안 되며 경영활동에 필요한 지식과 사고의 틀을 확대하여 자기개발을 부단히 해나가야 할 것이다.

제5장

된다고 믿으면 된다
자신을 믿어라

정당하게 사는 자에게는 어느 곳이든 안전하다
에픽테투스

잠재능력을 개발하라

　인간의 잠재능력 개발은 프로이드의 정신분석학이 그 효시를 이루었다면 이를 산업경영 분야에 도입하여 성공할 수 있다는 사실을 입증한 수퍼맨들은 브리스톨, 나폴레옹 힐, 크레멘트스튼, 앤드류 카네기 등이다. 이들은 자기의 잠재능력을 발휘하여 자기발전과 더불어 사회에 공헌했다는 사실을 우리가 간과해서는 안 된다.

　잠재능력 또는 잠재의식은 경영상 어려운 문제를 해결하는 신비롭고 멋진 기능을 발휘하는 동시에 고객문제에 관한 현명한 방침 또는 결정을 내리는데 큰 역할을 한다는 사실을 알아야 할 것이다 대개 잠재능력 또는 잠재의식이란 용어를 말하면 철학적이거나 심리학적인 측면을 말하는 것으로 착각하기 쉽다. 우리는 저유명한 영국의 호화여객선 타이타닉호의 비극을 기억하고 있다. 타이타닉호는 대서양의

북단에서 빙산과 충돌하여 수백명의 인명을 수장시킨 비극의 배 이름이다. 그 빙산은 정상에서부터 1/10에 해당하는 부분만 수면위로 떠올라 있었고 나머지는 수중에 잠겨 있었다. 타이타닉호는 이중 잠겨있던 부분에 충돌하여 침몰한 것이다. 이와 같이 인간의 마음도 현재 느끼며 생각하고 있는 의식의 마음은 마치 빙산의 일각, 즉 10분의 1인 해면상의 빙산을 말하는 것이며 나머지는 수중에 잠겨 있는 빙산처럼 의식에서 벗어나 잠재되어 있는 것이다.

대부분의 사람들은 현재 의식하고 있는 마음만을 활용하여 인생을 살아가고 현재 의식하고 있는 것만을 이용하여 성공적으로 경영하려고 할뿐 잠재의식을 무시하거나 모르고 있다. 그러나 잠재된 의식을 활용한 사람만이 큰 성공을 거두었고, 경영을 떠나서라도 큰 성공을 쟁취할 수 있는 원동력이 바로 잠재의식의 세계에 존재하고 있는 것이다.

이러한 미지의 잠재된 정신세계를 개발하여 성공한 사람들은 앞에서 지적한 바와 같은 사람들이다.

성공한 사람은
잠재적 능력자들이다

옛날부터 한약은 삼자(三者)의 정성이 깃들어야 치유의 효과를 거둘 수 있다고 말하고 있다.

즉 한약을 짓는 조제 배합의 혼합 한의사의 정성, 이것을 다리는 사람의 정성, 약을 복용하는 환자의 정성이 존재해야만 소기의 효과를 얻을 수 있다는 얘기다. 옛날이나 지금이나 모든 시대를 통해서 이러한 영적인 신념이 성취에의 강력한 동력원이 되었던 무수한 실례를 '캘리포니아 대학의 퍼스낼리티 측정 조사연구소'는 입증해 주고 있다.

이 연구소의 연구 조사 결과를 보면 성공한 성취인의 50%가 정신적인 경험을 가졌다는 사실을 고백하고 있다. 갤럽조사(1924)에서는 미국의 성인 전체의 20%가 이러한 체험을 지녔다는 사실을 발견했다. 이러한 연구 조사에 의한 결과는 보통 평범한 사람들은 신념에 의한 영적 잠재능력이 미개발 상태에 있음을 말해주고 있다. 세계적으로 모든 분야에서 출세한 성공인은 신념을 갖고 적극적인 자세에서 잠재능력을 개발했던 사람들이라는 사실을 새감 느껴야 할 것이다.

이렇게 영적능력은 경영진의 퍼스낼리티 구조의 강력한 기둥 역할을 해주며 미개발 능력을 발휘하도록 하는데 가장 유력한 힘을 주기도 하는 것이다.

시간을 초월하여 마치 강력한 발신 및 수신 겸용의 방송국 같은 일을 하며 우주에 퍼지는 방송망과 연결하여 물리적, 심리적, 정신적인 세계나 널리 영적인 세계에 이르러 과거, 현재 및 미래와의 교신도 할 수 있다고 미국의 브리스톨을 위시해서 많은 연구가들은 강력히 입증하고 있다. 그러므로 잠재능력을 스스로 개발하여야만 경영 실적과 매상을 마음대로 끌어올릴 수 있다. 사실 이러한 잠재적 신념의 위력은 여러 방면에서 나타나는데 특히 직각력(直覺力),정서, 확신, 인스피레이션, 음미, 추리, 상상력 등에서 두드러진다.

이렇게 잠재적 신념은 우리 육체의 감각 기관에 의존함이 없이 전혀 별개의 방법으로 외계를 파악하며 하나의 독립된 존재로서, 독자적인 힘과 기능을 가진 정신 기구로서 개인의 육체 및 생명과 긴밀한 연결을 가진다고 연구가들은 말하고 있다. 영적 잠재능력의 힘과 신념은 현재 느끼고 있는 현재의식과 잠재의식 두 의식 사이에서 현재의식은 우리 머리속에 있는 의식 세계에 표출되어 있고 잠재의식은 체내에 있어 의식 세계의 선보다 그 하부에 숨겨져 있다.

이 통신 연락은 사고하는 가운데 인스피레이션에 의해서 섬광처럼 연락이 되는 것이다. 그러므로 태고부터 인간의 영적인 잠재적 힘과 신념을 인정해 왔고 성경에서도 '뜻이 있는 곳에 길이 있다.'고 교시하여 '반드시 해야겠다'는 잠재된 신념을 개발하여 일을 하면 현재의식은 잠재의식에 교신하여 일을 성취하게끔 한다는 사실을 입증해 주고 있는 것이다.

인간애를 통한
잠재 능력을 개발하라

인생의 지혜를 찾는 격언에 '사랑이 있기 때문에 세계는 움직인다.'
라는 것이 있다.

사랑이 없는 인간 생활이 무의미할 뿐만 아니라 위축된 생활환
경 속에 소멸만 있을 뿐이라는 뜻이다. 〈사랑의 기술〉에서 프롬은 사
랑은 배려와 책임과 지식 그리고 존경이라고 말하고 있다. '너 자신
을 사랑하듯 너의 이웃을 사랑하라.'는 신약성경의 교훈을 실천한다
면 경영에 큰 도움이 될 것이다. 이러한 문제에 대해서 독일의 사상
가 마이스텔 에크하르트는 '만일 당신이 당신 자신을 사랑한다고 하
면 타인을 사랑하는 것이다. 타인을 자기를 사랑하는 만큼 사랑하지
않는 한 당신은 자기를 진정으로 사랑하고 있지 않다. 그러나 만일

당신이 당신 자신을 포함해서 모든 사람을 동등하게 사랑한다면 당신은 그들을 한사람의 인간으로서 사랑하고 있는 것이다. 그 한 사람의 인간이란 바로 신이며 동시에 인간이다. 이리하여 자기 자신을 사랑하고 또한 타인도 동등하게 사랑하는 사람은 위대한 정의의 인간이다.'라고 말하고 있다.

우리가 세포의 분열을 현미경으로 관찰하여 보면 분열하기 직전 혼란한 상태가 유지됨을 볼 수 있다. 이렇게 세포조직이 분해되어 혼란한 상태가 거듭되다가 기적이라 할 만큼 정돈된 새 조직이 나타난다.

이와 마찬가지로 경영의 위기에서 정신적 혼란은 도약을 위해 거쳐야할 과정인 것이다. 따라서 경영의 위기를 성장의 기회로 받아들이고 잠재력을 개발, 활용하여 환경에 지배당하지 않고 오히려 환경을 지배할 수 있도록 해야 한다.

이러한 위기 탈출에서 경영의 성장은 보장되고 계속 발전을 거듭할 수 있는 정신력 속에 숨어 있는 잠재능력이 개발되어 새로운 목표 달성을 약속하게 해 주는 것이며 미래의 꿈도 안겨주는 것이다. 이와 같이 경영의 위기는 자기 능력을 시험하고 발전을 위한 시련기로 생각할 수 있으며 여기서 숨겨져 있는 잠재능력이 개발되어 전에 없었던 힘과 능력이 솟구쳐 오르게 되는 것이다.

지성이면 감천
믿음과 정성

예부터 한약은 약 짓는 사람, 다리는 사람, 복용하는 사람의 정성이 모두 깃들어야 효험이 나타난다고 전해져 왔다.

약을 짓는 사람은 환자를 꼭 치료하겠다는 신념을 가져야 하고, 다리는 사람은 완쾌되기를 기원하는 마음을 지녀야 하며, 복용하는 사람은 주의사항과 시간을 반드시 지키고, 자신의 병이 치유될 수 있다는 믿음을 가져야 한다는 것이다.

아무리 약효가 좋더라도 환자 자신이 느끼는 어떠한 불신감 때문에 약을 정성껏 먹지 않으면 아무리 먹어도 약효가 없고 치료가 잘 안 되는 사실은 정신이 육체를 지배한다는 것을 뜻한다.

미국 하버드 대학 심리학 교수가 다음과 같은 실험을 한 일이 있다. 초등학교 저학년을 대상으로 한반의 학생들에 대한 학력 신장 테스트를 했다. 이 테스트를 한 다음 그 교수가 담임선생에게 몇몇 학생들의 명단을 주며 "이 학생들은 특히 지능지수가 높고 월등하니 관심있게 관찰하여 주십시요"하고 부탁을 했다. 그 후 1년이 지난 다음 심리학교수는 지적했던 학생들의 지능지수가 평균14점이 증가했음을 발견했다.

그런데 여기서 주목해야 할 것은 이 심리학교수가 일 년 전에 뽑아낸 학생은 머리가 특히 우수하고 지능지수가 높았던 학생들이 아니라 다섯사람중에서 한사람 꼴로 주사위를 던져 무작위로 골라냈던 학생들이었다.

그럼에도 불구하고 이들의 학력이 신장되고 지능지수가 높아진 것은 무엇 때문이었을까? 그것은 교수로부터 부탁을 받은 담임선생이 선발된 학생들에 대해 특별한 관심과 배려를 갖고 정성껏 돌보았고 이것이 그 학생들의 지능지수 발달에 많은 도움과 영향을 주었기 때문이다. 즉, 어떠한 믿음과 신념을 갖고 행동을 하면 반드시 변화가 일어난다는 사실이 심리학자들에 의해 밝혀지고 입증된 셈이다.

〈신념의 마술〉이란 책의 저자인 브리스톨도 많은 예를 들어 신념의 결과에 대한 사실들을 입증하고 있다. 이렇게 강한 신념과 믿음이 변화를 가져오는 것을 〈피그마리온(Pygmarion)〉효과라고 한다. 피프그마리온효과의 유래는 희랍신화에서 찾아볼 수 있다. 키프러스섬의 왕 이름이 피그마리온이었다. 이 피그마리온왕은 미술과 조각에

조예가 깊었다. 그는 며칠 동안 상아로 소녀상을 조각하였다. 완성하고 보니 정말 어여쁘고 아름답게 생겨 그 조각상에 인간의 생명력이 깃들기를 염원하게 됐다.

그리하여 피그마리온 왕은 비너스신에게 기도하였다. "비너스 신이여! 이 소녀상에 생명력을 불어 넣어 주십시오.." 비너스신은 상아의 소녀상에 생명력을 넣어 주었다. 이렇게 생명력을 갖게 된 조각의 소녀상를 피그마리온왕은 아내로 맞게 된다. 그리하여 피그마리온 효과란 정성을 들이면 생명이 깃든다는 뜻으로 인용되게 됐던 것이다.

'지성이면 감천'이라든가 '두드려라, 그러면 문은 열릴 것이요...'등의 이야기는 믿음과 정성으로 일을 하게 되면 안되는 것이 없다는 사실을 말해주는 교훈적인 문구들이다.

알파(α) 훈련

보통사람들을 위해 아침 일찍부터 저녁 늦게까지 업무를 수행하는 과정에서 심신이 매우 피로해지고 이것이 원인이 되어 매너리즘에 빠지며, 위축되기까지 한다.

따라서 피로를 푸는 것이 중요한데, 가장 간단하면서도 효과적인 방법이 〈알파(α)훈련〉이라고 생각된다.

이 훈련은 미주를 위시해서 유럽각국에서 유행하고 있다. 오늘날 물질문명의 발달로 인간의 자기상실증이 큰 사회문제가 되었고 사원의 활동 능력이 저하돼 이러한 질적 저하 문제를 해소시키기 위한 목적으로 이 훈련이 시작 됐다. 사원들이 스트레스 또는 매너리즘, 자기상실증에 빠지면 자연히 판단력과 창의적인 사고활동을 잃어버린다.

이러한 문제를 해결하기 위해서 산업훈련가들은 많은 노력과 개발에 힘을 써 왔다. 〈알파(α)훈련〉은 요즘과 같이 신경안정제가 많이 팔리는 상태에서 약물요법에 의존하지 않고 인체생리가 본래 지니고 있는 대사를 끄집어 내 자기 스스로 활용할 수 있는 기법이다.

이것에 대해 좀 더 구체적으로 알아보겠다. 우리가 일상생활에서 의식적인 지적활동을 발휘하고 있을 때 뇌에서 작용하는 사이클은 14-28C·P·S(매초당 주파수)라고 한다. 이때 사고활동이 전개돼 생각하는 것과 이에 따른 분석, 판단 그리고 모든 것을 종합할 수 있는 사고능력 및 기능이 최고로 발휘된다.

그러나 7~14C·P·S인 〈알파(α)〉일때는 인체 기능의 생리가 다르게 나타난다. 즉, 사람의 기맥(氣脈)이 마치 시계의 태엽이 풀어진 상태처럼 이완돼, 모든 사고활동이 둔화되거나 생각하기 어려운 상태가 되어 논리적인 판단, 분석의 기능이 잘 수행되지 않는다. 이때 체내의 혈액은 약알칼리성으로 전환돼 유지되어, 인체의 신진대사가 가장 이상적인 수준에 도달한다는 사실이 Herbert Brnson 박사 연구팀에 의해서 밝혀졌다. 바로 이러한 상태에서는 앞서 말한 사고활동은 저하되나 〈수요의 효율〉이 매우 높아져 어떠한 정보든지 청각을 통해 지각되면 신체적 감응이 빨리 나타나는 특이한 상태가 유지된다.

이러한 알파(α)사이클에 대한 구미 의약계에서의 연구는 매우 활발해서 높은 수준에 이르고 있으며 질병치료제에 응용되고 있다. 앞서 말한 Herbert Brnson 박사는 고혈압 치료전문가로서 지속적인 훈련을 통해 알파(α)상태에 이르면 고혈압같은 질병은 손쉽게 치료된다는 사실을 강력히 주장하고 있다.

그리고 알파 상태에서는 매우 창조적인 아이디어 발상이 촉진되며 어떠한 인스피레이션이 떠오르기 쉽다는 것이다. 불안. 공포. 걱정 따위는 없어지고 모든 생의 슬픔도 없는 아주 고요하고 평화로운 호수처럼 조용하고 깨끗한 상태가 유지된다.

모든 인체의 기능은 매우 정상적으로 움직이고 문제 해결의 실마리를 가져다 줄 수 있는 냉정한 자세가 이루어진다. 이러한 인체의 정상적인 생리현상이 매우 바람직하게 유지되는 상태에서 앞으로 의욕적인 활동을 약속케 한다. 이렇게 알파상태에 이르기 위한 가장 좋은 방법은 명상, 또는 환상이며, 이것은 부정적이 아닌, 반드시 긍정적인 것이어야 한다는 사실을 기억해 두기 바란다.

여기서 부정적이란 것은 경영악화를 걱정하는 것이라는지 자신의 자녀들이 교통사고를 당하지 않을까 하는 부정적인 사실을 연상하는 것을 말한다. 또 긍정적인 것이란 자기가 국회의원에 당선돼 국민들이 환호하는 상황을 연상한다든가 회사매출이 틀림없이 많이 오른다는 등 자기가 추구하고 있는 목표를 달성하는 상황을 연상하는 것이다.

알파(α)상태는 모든 발견, 발명의 메카니즘이라 볼 수 있다. 사실 명상의 기술은 많이 있다. 불교에서 말하는 선(禪)도 있고 초(超)심리학에서 말하는 초(超)명상법도 있다.

이러한 방법들은 종교적인 절차와 여러 가지 조건이 까다롭게 붙어다닌다. 그러나 이 알파(α) 훈련은 간단하고 누구나 쉽게 할수 있다. 그러면 이 훈련은 실제적으로 어떻게 하는 것인가?

이 방법을 간단히 설명하면 숨을 허파로 길게 들이 마시고 또한 숨을 내쉴때 길게하면 쉽게 알파상태로 된다. 이때 의자에 앉아서 지긋이 눈을 감고 숨을 몇 번 들이 마시고 내쉬는 상태를 유지한 다음 명상을 해도 좋다.

그런데 Benson 박사가 권유하는 알파훈련의 방법은 약간 다르다. 즉, 숨을 자연스럽게 들이 마시고 내쉴때는 "하나앗..."하고 수를 세며 아주 길게 쉬고 또 자연스럽게 들이 마시고는 "하나앗..."하는 식으로 약20분 가량을 하루 두 번 내지 세 번씩 반복하는 것이다. 이 훈련의 기본자세는 의자에 등을 기대고 앉아 두 손은 다리 위에 놓는다. 그리고 눈을 감는다. 이러한 기법만으로도 고혈압 및 심장병같은 것은 문제없이 치료된다. 이러한 알파훈련을 시간을 잘 이용해 한번 시도하면 모든 고난을 극복할 수 있다고 본다. 그리고 화를 내거나 말다툼, 기분 나쁜 일, 불안, 공포심 또는 적극적이 아닌 매우 소극적인 행동을 하는 감정적인 위치에서는 대뇌의 뇌파가 감마(γ), 즉 30~50C·P·S로 올라가 체내의 혈액이 산성화되며 인체의 신진대사 작용에 커다란 장해를 일으킨다. 이러한 인체 메카니즘에서는 의식적인 판단능력의 저하와 사리분별의 지능적 마비가 발생되며 어떤 인스피레이션이나 아이디어 는 전혀 일어나지 않는다.

마치 기계에 윤활유가 적어서 삐걱거리는 것과 같은 상태이다. 오늘날 현대인의 생활환경을 직시해 보라. 얼마나 많은 사람들이 감마에서 생활하고 있는가 하는 사실을 알 수 있다. 출근시간부터 몸부림치며 감마파고(波高)의 대중교통에 매달린다.

직장에서 오는 곤혹과 일상생활에서 오는 각종 어려움은 감마파의 원인이 있다. 어떠한 괴로운 일, 걱정, 불안, 근심, 슬픔과 절망 그리고 화나는 감정이 생길 때는 이러한 초조감에서 헤매지 말고 즉시 알파훈련으로 들어가서 어떠한 아이디어를 찾아내라. 그리고 몸과 마음의 평온을 되찾고 생리기능을 정상화시켜라. 그러면 모든 문제를 해결할 수 있다.

알려져 있지 않은 인간

〈알려져 있지 않은 인간〉이라는 명저로 노벨상까지 수상한 미국의 록펠러 의학연구소의 A.캐럴 박사는 인간은 먼 곳에 있는 사람이나 가까운 곳에 있는 사람이나 다른 인간에게 사념을 방사할 수 있다는 과학적 확증이 있다고 말했다.

나뭇가지에 앉아있는 참새를 향하여 몰래 돌멩이를 집어 던지려고 하면 참새는 그 순간 날아가 버린다. 이것은 참새가 자기를 죽이려고 한다는 예감을 갖게 되었기 때문이다. 이는 동물과의 텔레파시로 이를 염파(念波)라고도 할 수 있다. 이 염파는 전파처럼 손 안에 잡아 볼 수 없다.

그러나 방송국에서 보내는 전파가 모든 라디오, T.V에 나타나 들을 수 있고 볼 수 있는 것처럼 상대 인간에게 염파가 작용하여 그 효과를 발휘한다는 것이다.

미국의 대중잡지 〈다이제스트〉에 시카고시 과학자협회가 연구한 〈모기의 동물실험 결과〉란 기사에 의하면 모기의 암놈을 한 방에 넣어두고 같은 종류의 숫놈을 4마일쯤 떨어진 곳에 놓아주었더니 몇 시간이 지난 후 그 숫놈은 암놈이 있는 방의 유리창에 날아와서 날개를 퍼득거리고 있었다고 한다.

이 기사는 생물이 생각하는 염파가 먼 곳에까지 작용하며 이 암놈 모기가 모든 장애물을 넘어 숫놈을 향해 염파를 송신했음을 입증했다고 말하고 있다.

1944년 미국 예일 대학의 H.S.바아 박사 등 일단의 연구자들은 12년간의 실험 연구결과 모든 생물은 몸의 주변에 전기를 발산시켜 그것에 싸여 있고 생명력은 우주의 전 구성과 연락한다는 결론을 얻었다.

텔레파시(思考교류 또는 정신감응)나 사상전달의 정신 현상연구로 유명하여 미국 사회의 흥미를 유발시킨 미국 듀크대학의 〈J.B라인〉 박사는 1964년 주간지 〈아메리카〉에 게재된 〈인간의 정신과학적 증명〉이란 논문에서 '인간의 정신을 지금의 과학은 어떻게 보고 있는가? 이 질문에 대한 회답은 당연히 심리학의 영역이다. 그것은 심리학이 정신의 과학이기 때문이다. 그런데 놀라운 것은 인간의 정신을 탐구하는 심리학의 문헌에는 깨끗이 생략되고 있는 사실이다.

정신이라는 것은 인간 두뇌에서 독립하여 별도로 존재하는 것이라고 말하면 많은 심리학자들은 조소로 받아들일 것이 틀림없다. 현재의 학설에 따르면 모든 것은 과학적 물리적으로 증명되지 않으면 진실이 되지 못한다.

정신은 영적이고 비물질적인 것에 틀림없다고 생각되고 있으나 지금의 많은 학설에서는 그와 같은 것은 절대로 있을 수 없다고 여겨지고 있다. 따라서 이상과 같은 사고방식, 즉 두뇌에서 독립하여 정신이 존재한다는 생각은 미신과 같은 것이라고 해서 받아들이지 못하는 것이다.

이것은 과학적으로 연구하는 방법으로 문제를 해결해야할 것이다'라고 말하였다. 그리하여 듀크 대학에서는 1934년 라인 박사를 중심으로 심리학자들이 모여 ESP(extra sensory perception : 오감을 초월한 인지력) 실험에 착수했다. 이는 계속 타 대학에서도 연구를 하였으며 영국 왕립협회 회원인 영국의 대심리학자 W.맥도우걸 박사팀에 의해서도 끈질기게 계속되었다.

미국 듀크 대학의 심리학 연구팀은 수년간에 걸쳐서 연속적이고 전통적인 실험을 해 왔다. 실험결과의 채점은 어떤 우연을 배제한 과학적 방법을 추구했다. 이를테면 카드가 놓여 있는 장소에서 이것을 알아맞히는 사람을 장거리에 때어 놓고서 과연 ESP에 의해서 맞힐 수 있는가를 실험하고 가까운 거리에 떨어져서 실험한 결과를 비교해 두 가지 모두 장거리에서 실험결과와 단거리에서 행한 결과가 같은 좋은 성적을 보였으며 원근을 불구하고 수백마일 떨어진 곳에서도 ESP의 작용은 전혀 차이가 없었다.

사실 친구나 친척들이 죽어가기 직전에 어떤 무서운 꿈을 꾸다가 잠이 깨었다는 경험을 가진 사람도 있고 충격적인 마음의 영상이 현실화되는 일도 볼 수 있다 또한 꿈을 꾸고 난 다음 수시간, 수주일 지나서 그것이 현실화되는 경우도 있는데, 이것은 모두 ESP의 작용에 의한 것이다.

이러한 사실과 듀크 대학의 ESP 실험 연구결과는 인간은 초감각인 지력에 의해서 물리적 세계에 존재하는 공간이나 시간의 한계를 어떠한 경로에 의해서든 간에 초월한다는 사실을 입증한다. 또한 〈심리 현상의 법칙〉을 쓴 〈허드슨〉에 의하면 염파 작용을 일으키는 텔레파시를 실증하는 많은 실험을 하였는데 그 중 카드를 이용한 것을 소개하고자 한다. 한사람 A가 선홍색 또는 청색 등으로 카드를 트롬프식으로 만들어 엄지손가락과 인지 사이에 부채 모양으로 갖는다. 다른 두 사람중 한 사람 B가 나머지 사람 C가 알지 못하도록 A가 가지고 있는 색지편의 한 장에 손을 살짝 댄다. 이때 지편을 손에 쥐고 있는 A는 선정된 상대편에 마음을 집중한다. 다시말하면 제3인 C의 마음에 통하도록 선정된 지편에 마음을 집중시켜 C에게 염파를 보내는 것이다. 여기서 알아맞히려고 하는 제3인 C가 유의해야 할 점은 결정하는 순간에 이 실험 이외의 다른 생각을 하는 것이 좋으며 마음이 지나치게 여기에 집중되어서는 안 된다는 사실이다. 예리한 추리력으로 어느 색의 지편이 선정되었을 것인가? 하고 의식적으로 생각하려고 하지 말고 처음에 마음에 떠오른 심상을 그대로 말하도록 한다.

그렇게 하면 B가 고른 지편을 놀랍게도 정확히 알아맞힌다. 그러나 최근에 이에 대해서 연구가 활발하게 진행되는 것을 염두에 두고 21세기는 물질문명의 시대를 초월하여 모든 학문에 정신학이 붙는 시대가 도래된다는 드러커의 말을 상기해야 한다.

텔레파시의 원리-전파설

A. 전파설 우리 인간은 신경 계통을 통해서 모든 사물의 진동파를 느끼며 살아가고 있다.

즉 보고 듣고 만지고 맛보며 맞으면서 외계 물체의 진동이 신경계통을 통해서 뇌로 전달되면 여기서 각각 분리되어 감각이 해석되어진다. 진동은 모든 생물체가 가지고 있다.

우리가 소리를 듣는다고 해 보자. 이 소리는 진동으로 귀에 도달하며 신경을 통하여 뇌에서 분석되어 그 의미를 알게 되는 것이다. 그런데 오감이 신경을 통하여 수신할 수 있는 성능 이상의 고주파를 가지고 있는 진동도 발산 할 수 있다고 한다. 미국 예일대학 연구팀의 실험결과에 의하면 상처 없는 인지를 전류계에 놓고 염수를 담은 두 개의 컵에 각각 담그었을 때 전기는 양극의 왼손에서 음극의 오른손을 향해 흐르고 전기의 양은 1.5mV를 가리켰다고 한다, 그런데 두 개의 중지중 하나의 끝에 약간의 상처를 내고 실험하였더니 양극이었던 왼손이 음극으로, 오른손은 양극으로 변하고 전류는 12 mV로 상승했다고 한다. 또한 프랑스의 과학자 H.바듀크 박사는 행명 계량기 실험에서 인간의 염파(念波)에 의해서 바늘이 움직이는 현상을 발견했다. 즉, 종 모양의 유리그릇 안에 가느다란 비단실을 맨 동침을 늘어뜨린다. 바늘 밑의 유리 그릇 안에는 원형의 두꺼운 종이에 눈금이 새겨져 있다.

이러한 기구를 두 개 늘어놓고 실험자의 양손의 손가락을 유리그릇의 0.5인치 이내로 접근시켜 그 미묘한 모양으로 매달려 있는 바늘에 마음을 집중시킨다. 그리하여 마음가짐, 다시말해 사념의 방향을 여러가지로 바꾸면 그것에 따라 바늘의 방향도 바뀐다. 이렇게 우리 인간의 뇌에서 전파가 나와 그것이 멀리까지 도달하여 영향을 미친다는 설이 전파설인데 러시아의 카진스키는 이것을 강력히 주장하고 있다. 과학적 근거로 〈패러디 상자〉라는 전파를 막기 위해 철망으로 만든 상자 속에 사람을 넣고 동물과 인간 사이의 텔레파시 실험을 해 보았더니 철망의 문을 닫으면 텔레파시가 통하지 않았지만 문을 열면 텔레파시가 통했다는 실험결과를 제시하고 있다. 인간의 몸 안에는 코일과 바리콘 같은 신경조직이 있는데 이것이 발신기나 수신기 역할을 하고 있다는 것이다. 또한 예일 대학의 모든 생물에 대한 전기적 실험을 측정하는 연구팀인 웨스팅하우스 전기회사의 연구기사 〈P.토마스〉 박사는 '우리들이 일을 하고 있을 때나 이야기를 하고 있을 때는 반드시 어떤 방사가 행해지고 있다. 그것은 전기적인 것이라 생각한다.

가까운 장래에 우리들은 인격 또는 금력의 방사를 전기 반응에 포착하여 그것을 해석할 수 있는 시대가 곧 올 것이다'라고 말하고 있다. 그런데 앞에서 지적한 카진스키 실험과는 달리 〈패러디 상자〉보다 더 완전한 전파 차폐체(遮蔽體)인 원자력 잠수함 노틸러스호에서 텔레파시를 수신하는 실험에 성공한 예를 보면 역시 텔레파시는 모든 물질의 시간과 공간을 초월하는 제4차원의 세계에 존재하고 있음이 분명할 것 같다.

만물은 진동에 의해서
존재하고 있다

대기하학자이며 철학자인 피타고라스는 기원전 6세기에 '만물은 진동에 의해서 존재하고 있다.'라고 설명한 바 있다. 진동은 뇌로 집중되어 하나의 파장을 외계로 보낼 수 있다는 것이다.

이를 주장하는 학자들은 대개 의학자로서 〈사이코 키네시스〉(Psycho Kinesis : 사고하는 힘이 물체에 미치는 영향)를 연구하는 사람들이다. 여기서 의학자들이 말하는 뇌파는 뇌의 활동에 따라서 생기는 전기 파동인데, 이것은 극히 미약한 전압으로서 주파수가 매우 낮은 마이크로 볼트 이다.

의사들은 뇌파를 페노실로그라프 종이테이프에 기록시켜 정신병의 진단 둥에 사용하고 있다. 그러나 너무 약하고 낮은 주파수라 이

뇌파가 공중에 날아서 멀리까지는 갈 수 없는 것으로 알고 있다. 그러므로 이 뇌파가 텔레파시의 매체 역할을 한다는 사실에는 근거가 좀 희박한 것 같다.

텔레파시의 원리는 놀라움과 신비한 4차원의 세계에 숨겨져 있다

사차원설 미국의 물리학자 〈A.에디튼〉은 '내가 믿는 바로는 정신은 일부 원자를 변화시키는 힘을 가지고 원자의 운동을 좌우할 때도 있다. 그리고 세계의 발걸음은 물리적 법칙에 의해 운명지어져 있는 것이 아니고 인과율에 의하지 않는 자유의사에 의해 변경되는 것일지도 모른다'라고 말하였다.

사실 우리는 전기의 흐름을 눈으로 볼 수 없다. 그러나 스위치를 켜서 불이 켜지거나 동력이 작용하는 결과로 전기의 존재와 그 흐름을 알 수 있으며 전기, 전파 등을 측정할 수 있다. 모든 물리학적인 파동, 빛, 소리, 전파 등은 거리의 제곱에 반비례해서 점점 약해진다. 그러나 실험결과에 의하면 텔레파시는 측정할 수 없는 것이며 속도나 거리와 관계가 없다고 한다. 미국 듀크 대학의 가인 박사를 위시해서 대부분의 초심리학자들은 그것이 시간과 공간을 초월한 4차원의 세계에 있다고 강력히 주장하고 있다. 또한 미국 P.토마스 박사는 '이제 최후의 암흑대륙이라고 하는 〈인간의 마음〉의 영역에 대한 탐험에 발을 들여 놓으려고 한다. 이 대륙에서는 아프리카에서 발견된 것보다 훨씬 큰 놀라움과 신비가 4차원의 세계에 숨겨져 있다'고 말하였다. 아마 이4차원설이 모든 연구가들에게 지배적인 학설인 것 같다.

영감(靈感)

　오늘날, 과학의 발달로 인해 영감(靈感)이란 존재하지 않으며 미신에 불과하다고 생각하는 경향이 커졌다.

　그러나 이와 반대로 그것을 과학적으로 규명하고 그 정체를 밝히는 일도 행해지고 있는데 이러한 학문을 초심리학이라 한다. 약 40년전 미국 듀크대학의 J.B라인 박사팀이 초심리학의 연구를 개설한 이래 학술적 연구가 활발하게 계속되어 지금까지의 심리학과 명확히 구별되면서 그 학문적 탄생을 보았다. 앞에서 언급했던 영감(靈感),염파(念波),염력(念力),텔레파시, ESP등은 이 분양의 전문용어이다.

　여기서 ESP에 대하여 구체적으로 알아보면 다음과 같다.

　1. 透視(clairvoyance)-肉眼을 사용치 않고 직접 사물을 판단할

수 있는것

2. 독심술(telepathy)-오관을 사용치 않고 직접 상대방의 마음속을 알아차리는 것

3. 예지(recognition)-미래를 직접 알아차리는 것 즉 예언 같은 것

4. 천리안-멀리 있는 것을 마음으로 알아내는 것. 다시 말해서 초심리학이란 신체의 오관을 사용하지 않고 알 수 있는 없과 PK(psychokinesis:정신 동력 또는 염동) 즉, 마음 속에 강한 신념을 갖고 행동하면 마음먹은 대로 모든 일이 이루어진다는 다른 사물에 미치는 정신 능력이 우리 인간에게 있는가를 연구하는 학문이다.

과학 문명이 발달한 미국, 러시아, 영국에서는 이 분야의 연구가 활발하게 진행되고 있으나 우리나라에는 이 학문이 아직 정식으로 도입되지 않고 있다.

오늘날 초심리학의 효시는 미국 듀크대학이라 할 수 있으며 이러한 초심리학의 연구 결과로 인간의 정신 능력 속에 ESP, PK가 자기와는 상관이 없고 특수한 인간에게만 존재하는 것으로 오인하고 있으나 앞으로 과학이 더욱 발달하면 그러한 생각은 자취를 감출 것이다.

염사(念寫)

　염사란 말은 카메라와 같은 것을 사용하지 않고 마음먹은 생각을 염력으로 사진필름에 영상으로 감광시키는 방법이다. 이 방법은 정신적 통일을 가지고 누구나 할 수 있는 방법이다.

　카메라 필름을 한 커트씩 잘라서 빛을 통하지 않는 검정봉투에 담는다. 물론 이 작업은 암실에서 행하여야 할 것이다. 그런 다음 검정봉투에 염사시킬 수 있도록 도안이나 그림 또는 친구이름 등 머리속에 떠오르는 관념을 구체화시킨 원고를 작성한다.

　이렇게 검정봉투에 준비된 사진 필름과 원고를 가지고 정신통일을 기 할 수 있는 조용한 방을 선택한 다음 방안의 조명을 조절한다. 이 때 너무 밝게 하면 정신통일이 되진 않으므로 촛불 정도의 광도로 약간 어둡게 하는 것이 좋다. 이렇게 방안의 광도를 조절한 다음 검정봉투에 준비된 필름을 꺼내어 적당한 장소에 놓아둔다. 이때 사진 필름과 원고와의 거리는 멀어도 상관없지만 초보자인경우에는 가까운 곳에 놓을 경우에는 그 위치를 머리속에 뚜렷하게 기억해 두어야 한다. 이렇게 필름과 원고를 놓은 다음 사념하는 자세를 취하는데 바른 자세로 앉아서 해도 상관은 없으나 곧 피로해지기 쉬우므로 누워서 해도 상관없다.

이때 필름과 염사자의 거리는 원격염사가 가능하므로 상관없으나 초보자인 경우에는 가까운 편이 좋다. 그리고 나서 눈을 조용히 감은 채 이미작성해서 놓은 원고의 내용이 오로지 필름에 비치도록 염원하면서 앞의 예에서 지적한 카드 지적법처럼 필름에 염파를 집중적으로 보낸다.

이와 같이 염사가 끝난 후 다시 필름을 검정봉투에 넣어 믿을 만한 사진관에 현상을 부탁하면 원고대로 현상되어 나온다. '과연 영상이 염사될 것인가?' 하는 의문과 기대 속에 흥미를 가지고 한번 실험해 보기 바란다.

진실한 마음이 없으면
염력의 효과는 없다

암시적 염력 작용으로 인한 텔레파시로 고객을 마음대로 움직일 수 있다. 마음먹은 염력을 고객에게 투사함으로써 효력이 시현되는 결과는 보통 최면술에 의해서 행하여진 것보다 훨씬 강력하다.

최면술, 그것은 거는 사람이 상대방에게 특별한 어떤 힘을 가지고 있다는 사실을 믿게 해야 할 필요가 있지만, 염력의 방사에 있어서는 혼자만이 갖는 염력을 고객에게 알릴 필요 없이 방사하는 것이다.

염력을 고객에게 방사함으로써 마치 호수에 돌멩이를 던졌을 때 파문이 일어나는 것처럼 전달되어 간다는 사실을 반드시 기억해 두기 바란다. 염력을 고객에게 투사할 때는 반드시 고객의 두 눈에 초점을 맞추어 집중적인 방사를 할 때 효력이 증대한다. 두 눈은 모든 사람의 마음의 창문이기 때문에 염파를 받아들이는 수신체 역할을 수행하고 있다. 염력의 염파는 시간과 공간을 초월하는 4차원의 세계에서 지위 고하를 막론하고 누구에게나 통해 모든 고객은 피할 길이 없는 것이다.

그런데 묘한 것은 진실한 마음이 없으면 염력의 텔레파시가 작용하지 않는다는 것이다. 즉, 진실이 아닌 것을 목전의 이익을 일시적으로 취하기 위해서 염력의 염파를 방사할 때 상대고객의 마음에 수신되지 않는다는 것이다. 이 점을 명심해야 할 것이다.

정확하고 확신에 찬 염파

고객을 유도하고 설득하는 과정에서
마음속으로
'어떻게 하든지 고객을 설득시키고 말겠어...' 하는
신념을 품은 염력의 염파를
고객의 두 눈을 뚫어지게 바라보면서 집중적으로 보낸다.
이 때 고객은 염파의 수신체가 되어 받아들이게 된다. 그런데
이 때 고객이 머뭇거리고 결정을 내리지 못하면 더욱 집중하여
강력한 염파를 보낸다.
그러면 결국 고객은 설복 당하여 의견에 따르게 된다. 여기서
반드시 주의해야 할 점은 염파를 보낼때
주체 의식이 강한 '나'라고 하는 말을
마음속에서 강조하고 대화를 할 때
'나의 말이 틀림없다'는 말을 강조할 일이다.
'고객에게 나의 염력이 작용할까? 하는
의구심과 불안을 갖는 일을 절대로 있어서는 안 된다. 그리고
경우에 따라서는 상담할 때에 〈당신〉 대신에, 〈나〉라고 하는 말
을 사용하는 것도 좋다.
상대고객이 바라는 것이 무엇이든 상관없이
상대의 눈을 똑바로 바라보고 정확하고 확신에 찬
말과 염력의 염파를 보내야 한다.

말과 염력의 힘

    의사가 진료, 치료하는 행위나 약사들이 의약품을 투여하는 행위는 자기 스스로 치료하는 것을 돕거나 혹은 치료를 촉진시키는 조건을 조성시키기 위한 촉진 보조 역할에 도움을 주는 것뿐이다.

    미국에서 의사가 고객에 대한 말과 염력의 힘은 매우 중요하다. 정신이 육체를 지배한다는 사실을 상기하여 볼 때 더욱 그렇다. 고객에게 주는 암시적 염파는 심령적 효과를 어떠한 종교적 입장에서 특수하게 훈련된 심령적 에너지를 갖는 사람에 한해서 가능한 것처럼 생각하면 큰 요인이라고 생각한다.

    미국의 인기 있는 대중잡지 〈리더스 다이제스트〉 지에 '개인의 정신적 고민이 육체적인 질병의 원인이 된다'라는 기사에서 매사츄세

츠의 유명한 종합병원 원장 롤링 스윙 박사는 괴로움, 공포, 분노에서 해방됨으로써 치료된 270명의 관절염환자를 관찰, 조사한 결과 60%가 근년 〈라이프〉지의 〈사이코노메틱(정신, 육체의 양면에서 치료하는 것을 말함)〉이라는 표제 기사에 의하면 제2차 세계대전 당시 군인 발병자 중 40%는 정신 육체의학 요법으로 치료했어야 할 병이었다고 보고하고 있다.

이 기사에 의하면 심장병, 고혈압, 류마티스관절염 및 여러 가지 피부병, 기타 알레르기성 질환 등은 직접적인 감정의 혼란 또는 감정으로 인한 육체적 이상에서 유래되었다고 지적하고 있다. 또한 정신치료가나 정신분석의사가 전시중 각종 실험 결과에 의해서 종래의 전반적인 육체적 요법에 일차 수정을 가하여 심리적인 치료법을 가미하여 복합 치료함으로써 큰 성과를 거두고 있다.

이러한 여러 가지 연구 결과로 병이란 이 세상에 실존하지 않는다며 병 자체를 부정하는 일파가 최근 미국에 생겼으며, 그 지지자가 날로 증가하여 대유행이 되고 있음은 주목할 만한 사실이다.

미국의 학회회장이었던 엘미헤스는 〈Desert News〉지에 기고한 글을 통해 다음과 같이 말하였다. '정신(또는 神)에 신념이 결여된 의사나 약사는 환자를 치료하거나 투약할 권리가 없다 병실에 들어가는 의사나 조제실에 들어가는 약사는 혼자서 가는 것이 아니다. 의사나 약사는 단지 과학적, 물질적 도구나 합성 화학품으로 치료할 수 있다. 그러나 환자의 완치 여부는 의사, 약사의 신에 대한 신념이 좌우한다. 나에게 신의 존재를 부인하는 의·약사를 보여준다면 나는 그들에게 환자를 치료할 권리가 없다고 말하겠다'.

관념 광선 응용법

먼저 하얀 백지에

검은 원을 뚜렷이 그린다.

이 원을

바른 자세에서 몇 분 동안 응시한다.

이렇게 원을 응시하다가

눈을 살짝 감으면 잔상으로

흰 원이 보이는데

잠시 있으면 원이 사라져 버린다.

다시금 눈을 뜨고

백지상의 원을 응시한다.

이것을 계속 되풀이하면서 연습하면

마침내 흰 원은 꺼지지 않고

끝까지 남아 있게 된다.

이렇게 계속해 나가면

흰 원은 빛나기 시작한다.

이것은 소위 밀교에서 말하는 일륜관으로서

계속 수행하면

상대고객에 대한 투시 능력이 몸에 붙게 된다.

성공하려면 기대하는 마음가짐과 사고의 집중, 소망, 열정을 가져야 한다

실험에 앞서 자세를 가다듬는 조신(調身)과 숨을 들이 마시고 내뿜는 호흡의 조식(調息) 그리고 마음의 정숙을 가다듬는 조심(調心)을 한 다음 정신을 집중시킨다.

잠깐 조용히 눈을 감은 다음 정신의 기조를 다듬은 수희 눈을 살짝 뜨고 잡념이 없는 상태에서 이 실험을 실행해야 한다. 최면진자인 히푸노 펜주럼은 시판되고 있다. 약 20㎝의 보통 실 끝에 동전 하나를 매달고 이 동전이 목전에 위치하도록 고정시킨 다음 정지되어 있는 동전을 집중력있게 응시하면 이것이 시계추처럼 좌우로 흔들리도록 강력하고 집중적인 염파(念波)를 보낸다.

그러면 동전은 좌우로 조금씩 움직이기 시작한다. 이때 더욱 큰 폭으로 흔들리라고 염파를 보내면 동전의 진폭은 더욱 커진다. 이러한 실험은 초보자의 경우도 90% 정도는 성공할 수 있다. 이렇게 좌우의 움직임에 성공하면 동전을 빙빙 돌게 하는 등 마음먹은 방향으로 움직이게 할 수 있다.

이 실험의 진자 운동은 관념 운동이라 볼 수 있다. 관념운동은 강력한 신념이나 관념을 마음에 품으면 그것이 현실화된다는 것을 입증한다. 사실 이는 물건에 손 하나 안대고 물체를 움직이거나 조절할 수 있는 PK(Psycho Kinesis:念動)로서 이에 대한 객관적 자료를 얻기 위해서 미국의 듀크대학, 피츠버그 대학. 컬럼비아대학 등의 죠셉, 반스크, 라인 등을 위시한 어네스트, 올리버, 라이저 박사 등이 많은 실험을 한 것은 유명한 사실이다.

이중 듀크 대학의 〈J.B.라인〉박사는 이러한 실험에 성공하려면 반드시 기대하는 마음가짐, 사고의 집중, 소망하는 결과에 대한 열망이 있어야 한다고 지적하고 있다. 굳은 신념이야말로 P.K나 텔레파시를 실현하는데 있어서의 기본적 조건이라는 것을 죤.J.오닐은 뉴욕 헤럴드 트리븐지에 보고하고 있다.

4자원 세계의 신비(독서법)

심령의 존재에 관련되는 서적을 긍정적으로 인정하고 많은 책을 여러번 읽는다.

이러한 독서를 하는 동안 심령에 부정적인 유물론에 관한서적은 멀리하고 되도록 〈과학의제로 지대〉, 〈4차원 세계의 신비〉, 〈초심리학의인간〉, 〈생명의실상〉, 〈종교적인 교진〉 등의 책을 많이 탐독한다. 이러한 책을 많이 탐독하여 깨달음의 경지에 도달하면 영감이 생겨서 미래의 일을 알게 되고 인생의 모든 일이 잘 풀리게 된다. 이러한 현상은 원골현상(圓滑現象)이라고 부른다.

이것에 관해서 일본의 한 청년의 체험담을 소개해 본다. 그가 대학의 전기공학과 학생이었을 때였다. 그는 국가를 위해서 무언가 새로운 무기를 발견하려고 집에 연구실까지 차려 놓고 조석으로 몰두했으나 도무지 뾰족한 수가 나타나지 않았다. 그래서 좌절감에 빠져 인생의 목적을 잃고 유흥가를 누비다가 간이 나빠지기 시작하여 병상에 눕게 되었다.

그는 병상에 누워서 "신이여, 인생의 목적을 주소서 아니면 죽음을 주소서"하고 기도했다. 이렇듯 깨달음 없는 혼미한 정신 상태로 가을 낙엽이 떨어지듯 덧없이 한 젊은이의 목숨이 저승으로 떠나가는 듯싶었다.

그러나 〈생명의 실상〉이라는 책을 읽고난 후부터 병세가 점점 호전되기 시작하였다. 이 책을 통해서 자기가 찾지 못한 인생의 목적을 발견할 수 있었고 〈인간은 신의 아들이다〉, 〈신처럼 사는 것이 인생의 목적이다〉, 〈병은 없다〉, 〈인생은 뜻대로 된다〉는 등 지금까지 생각했던 사고방식과는 정반대의 것들을 읽을 수가 있었다.

병상에서 또는 전쟁터의 참호 속에서 무신론자가 없는 것처럼 그도 정반대의 이론을 믿기로 했다. 그가 믿으면서 구원을 받으려고 그 책을 수십 번 읽는 동안 책의 내용이 잠재의식에 깊이 스며들어갔다.

그러자 그는 세상이 갑자기 달라 보였으며 아름답고 맑게 보였다. 그는 동면에서 깨어난 개구리처럼 병상에서 뛰쳐나왔다. 그리고 그 후부터는 영감이 생겨 "오늘은 누가 온다"하고 아침에 말을 하면 실제로 그 사람이 찾아오는 등 그의 예감이 모두 적중하였다. 이렇게 책을 여러번 읽음으로서 깨달음의 경지에 도달하고 영감을 얻을 수 있는 것이다.

성경에 '구하라. 그러면 주리라.' 하는 구절을 재음미하면서 자신이 추구하는 것을 위해 진실로 노력한다면 안 되는 일이 없다는 것을 반드시 기억하도록 하자.

신념의 마술

〈신념의 마술〉저자 〈브리스톨〉은 자기가 원하는 것을 그림으로 그려 그것을 천정이나 벽에 붙여 놓고 틈이 나는 대로 바라보면서 염원을 하면 꼭 성취된다는 사실을 밝혀내고 있다.

대부분의 사람들은 인생에 있어서 자신의 지위가 운명의 신이 어떠한 특별한 우대를 해 준 것으로 보고 그것을 고맙게 받아들이는 것으로 만족하고 있으며, 보다 나은 환경과 자기 발전을 추구하는 사람은 드물다. 또한 자기가 바라는 것을 막연하게 희망할 뿐 바로 실행에 옮기려고 하거나 그에 대한 사고의 염파를 강력하게 보내지는 않는다.

우리 인간의 사고 주변은 전자장과 비슷하다는 사실은 전술한 바있다.

자기가 바라는 것을 진지하게 염원하는 상상력의 암시 효과는 의지력보다 훨씬 강력하다고 프랑스의 의사 〈E.쿠에크〉박사는 말하고 있다. 이러한 점 때문에 일본이나 미국의 대기업가 중에는 자기가 바라는 염원에 대한 성취의 뜻으로 자기가 공장을 갖고 싶으면 그것을 그림으로 그려 몸 안에 품고 다니는 사람이 많다고 한다.

일본의 대기업가 松下華之도 자기 목적을 달성하기 위한 암시로 부적을 항상 지니고 다녔으며 그의 사무실에 승려까지 채용했다는 사실은 유명하다. 이와 같은 사실을 미신처럼 여기기 쉬우나 오늘날 초심리학의 학문적 탄생을 보면서 많은 사람들이 생각을 달리하고 있다.

우리나라에서 1973년부터 일본으로 부적이 대량 수출되고 있다는 사실은 웃어넘길 일이 아니다. 이러한 부족의 암시적 효과는 매우 중요하다. 무엇이든 안 된다는 철학은 존재하지 않으며, 무엇이든 된다는 강한 신념이 자기 성취의 동기로 작용하는 것이다.

우리나라의 부적의 신앙적 조사 연구에 의하면 사업가에 있어서 남녀 각 250명중 남자 77명, 여자27명이 각각 부적을 소지하고 있음이 밝혀졌다. 또한 운전기사의 경우는 남자 800명 가운데 794명으로 거의 100%가 부적을 지니고 있음이 밝혀졌다.

소지(所持) 동기 조사에 의하면 운전기사의 경우는 사고방지, 사업가의 경우는 사업번성이 그 주된 이유이다.

부적은 자기가 염원하는 것의 표시물이라 볼 수 있다. 이러한 표시물 앞에 성취의 암시를 걸어 목적을 달성케 하는 것이다.

다음과 같은 예를 생각해보자.

돋보기를 이용하여 태양광선을 한 점에 집중시키면 그곳에 집중되는 태양열로 대상물을 불태워 구멍을 뚫을 수 있다. 이때 대상물에 구멍이 뚫리도록 타기 시작하기 전까지 손을 움직이지 않아야만 한다. 여기서 손이 흔들리지 않기 위한 정신적 통일을 위한 마음의 이미지와 같은 것이 바로 부적의 암시적 효과인 것이다.

모든 행사에 사용하는 표어나 사훈, 교훈, 사제 또는 대기업체의 사장실에 붙어있는 그림, 슬로우건, 조각 등은 부적의 효과에 상응하는 것이다.

미국의 발명왕 〈T.A.에디슨〉도 성취를 위한 신념을 굳힌다는 의미에서 구약성서의 한 구절인 '나는 대어에 삼켜졌으나 소생했다'라고 쓴 부적을 사용했으며, 이것이 사후 그의 책상서랍에서 발견되었다는 사실은 유명하다.

고기는 씹는 맛으로 먹는다

고기는 씹는 맛으로 먹고, 물건은 값을 깎는 맛으로 산다는 얘기가 있다. 옛날 보부상들은 불렀다가 깎아주는 재미로 장사 맛을 즐기면서 전국 방방곡곡의 장터를 누볐다고 한다. 그래서 소비자들은 "에누리 없는 장사가 어디 있느냐"하는 생각에 익숙해진지 오래다. 에누리가 없다고 하며 집어주었으며, 덤도 없이 제아무리 빡빡하게 굴던 장사꾼도 개평이라도 한 개 더 주는 것이 인지상정이었다.

소비자들은 이렇게 에누리, 덤, 개평을 뜯어내는 재미를 맛보며 물건을 샀다.

그러나 요즈음은 수퍼마켓, 백화점을 위시해서 정찰제라는 팻말 앞에 이 맛은 점점 사라지고 있다. 그래서 세상은 밋밋하고 빡빡하게 돌아가는 것으로 느껴진다.

아랍에서는 이상한 흥정의 방법을 쓴다. 우리나라에서는 물건을 많이 사면 살수록 더욱 싼 값에 살 수 있지만 거기서는 '수요가 늘면 물가는 오른다'는 사실에 입각해서 많이 사면 살수록 값을 더 올려 받는다.

　우리네 상식으로는 잘 이해되지 않는 흥정이다. 러시아 경우는 물건 흥정을 평균 이등분 방법으로 한다.

　즉, 어떤 물건에 대해 상인이 200,000원을 달라고 말했다고 하자. 이때 사는 쪽이 너무 비싸다고 말하면서 깎아 달라고 하면 파는 쪽에서 10,000원을 깎아 주겠다고 제안을 한다. 그러면 사는 쪽에서는 5,000원만 더 깎아 달라고 하고, 파는 쪽에서 5,000원만 더 깎아주겠다고 다시 제의를 한다. 그러나 사는 쪽에서 135,000원만 하자고 흥정을 한다. 그러면 파는 쪽에서 내가 팔겠다고 하는 값 185,000원과 당신이 사겠다고 하는 값 135,000원의 바로 중간인 160,000원에 팔겠다고 수정제의를 한다. 그러면 사는 쪽에서 당신이 팔겠다는 160,000원과 내가 사겠다는 135,000원의 중간을 뚝 잘라서 147,000원으로 하자고 마지막 제의를 한다.

　그래서 흥정은 이루어진다. 좀 까다로운 흥정이지만 서로 양보하는 자세가 돋보인다.

　일본에 원자 폭탄이 투하되었을때 그 위험 속에서도 일본 세일즈맨들은 그 폭탄 파편 조각을 주워 모았다. 이는 나중에 기념물로 팔기 위해서였다. 즉 일본 사람들은 물건을 파는 근성이 강하다는 말이다. 그래서 오늘날 일본 사람들은 세계 각 지구촌에다 팔줄만 아는 〈이코노믹 애니멀〉이란 비난을 받으면서도 파는 근성을 버리지 않는다.

이와 반대로 사는 근성이 강했던 우리나라는 자질구레한 기계부속품까지 일본으로부터 수입하여 대일 무역역조 현상까지 초래하였다.

실패한 사람,
성공비밀을 안다

초판 인쇄 2020년 09월 15일
초판 발행 2020년 09월 31일

지 은 이   서 정 호
발 행 처   (주)도서출판 해맞이
           서울특별시 관악구 남부순환로 1507-31
           TEL : 02)863-9939
           E-mail : inventionnews@naver.com
등록번호   제320-199-4호
ISBN : 978-89-90589-83-5